Cobro de sangre

Seix Barral Biblioteca Breve

Mario Mendoza
Cobro de sangre

Diseño colección: Josep Bagà Associats

Primera edición: septiembre 2004

© 2004, Mario Mendoza

Derechos exclusivos de edición
en castellano reservados para
todo el mundo:
© 2004: Editorial Seix Barral, S. A.
Provenza, 260 - 08008 Barcelona

© Editorial Planeta Colombiana S. A., 2004
Calle 73 No. 7-60, Bogotá, D.C.

COLOMBIA: www.editorialplaneta.com.co
VENEZUELA: www.editorialplaneta.com.ve
ECUADOR: www.editorialplaneta.com.ec

ISBN: 958-42-1045-9

Impresión y encuadernación: Quebecor World Bogotá S. A.
Impreso en Colombia - Printed in Colombia

Para mi padre, in memoriam

Mi vida, antes insubstancial, ha cobrado ahora
un sentido al que no sabría qué nombre dar
como no fuera el mismo nombre de Vida.

STEFAN ZWEIG

El demonio que lo poseía
había sido exorcizado al fin.

SOMERSET MAUGHAM

Capítulo 1

UN NIÑO ESCONDIDO EN LA OSCURIDAD

Desde su infancia, Samuel Sotomayor fue siempre un individuo solitario, apartado y salido de lo común. A los diez años sus padres le regalaron una edición ilustrada de la *Odisea*, y el pequeño solía encerrarse y quedarse horas enteras analizando los dibujos de los barcos, la corpulencia del cíclope o las caras endurecidas de los marineros durante las tormentas y los tremendos oleajes que soportaban en medio de aquella insólita aventura. Con la pequeña lámpara encendida detrás de él, Samuel disfrutaba la sensación de estar metido en otro mundo, como si cada uno de los dibujos fuera una puerta de entrada a otra dimensión.

Cuando estaba en cuarto de primaria hizo la primera comunión con sus demás compañeros de colegio. Pero él no llevaba en la mano ningún misal, como los otros, sino su vieja y querida edición ilustrada de los viajes de Ulises. La había forrado con un papel blanco y decidió que en una situación tan importante él debía estar acompañado no por un libro desconocido que no lo entusiasmaba, sino por su querido y trajinado ejemplar que él solía consultar tanto de día como de noche en la soledad de su habitación, cuando se quedaba dormido entre sus páginas y soñaba con el país de los lotófagos, con Circe, con Polifemo y con la solitaria Penélope que tejía y destejía esperando el regreso de su amado. Muchas veces se despertó en mitad de la noche rogándole a Zeus para que le permitiera a Ulises regresar a Ítaca, al lado de su mujer y de su hijo. En una de las escenas finales, cuando el protagonista es reconocido por su perro *Argos*, Samuel llegó incluso a llorar y suplicó a todos los dioses que dejaran al héroe vencer a los pretendientes y recuperar el control de su isla.

Ese día de su primera comunión, Samuel le dijo a Horacio Villalobos, uno de los compañeros de clase que tenía a su lado:

—Si me toca leer algo, me pasa su libro.

Todos estaban vestidos de blanco, con una cruz de madera colgándoles del cuello y un pequeño misal en la mano. El muchacho le contestó a Samuel con una pregunta evidente:

—¿Y por qué no usa el suyo?

Con cierto aire de superioridad, Samuel se sonrió y le dijo a Horacio:

—Porque lo que tengo aquí no es un misal.

—¿Va a recibir la primera comunión con otro libro en la mano?

—Qué le vamos a hacer, nunca lo compré. Prefiero gastar mi dinero en cosas más entretenidas.

La tranquilidad con la que Samuel se burlaba de la situación sorprendió a Horacio y lo hizo sentirse ingenuo, estúpido, como si fuera un pequeñuelo atolondrado hablando con un adolescente despierto y experimentado. El descaro de Samuel, su desparpajo irreverente y el buen humor con el que se tomaba el asunto lo desconcertaban y lo confundían.

—¿Y entonces qué tiene ahí? —preguntó Horacio nervioso.

—Mire.

Samuel corrió el forro y Horacio pudo ver la carátula: se trataba de un hombre barbado gobernando el timón de un barco en una noche de tempestad. El título decía en tinta roja: "La *Odisea*".

Dos días después, para intimar un poco más con él, Samuel invitó a Horacio a tomar onces en su casa. El joven pudo constatar que, como lo había imaginado, la familia de su nuevo amigo no era como las demás. Los padres de Samuel eran pintores y escultores, una pareja que había diseñado ella misma los planos de la casa, los floreros, los colores de las paredes y de los pisos (colores fuertes, llenos de contrastes), los muebles (anatómicos, poco convencionales) y las puertas con herrajes y arabescos metálicos. Horacio nunca había visto nada parecido. Samuel era hijo único y su cuarto no tenía la acostumbrada colección de autos en miniatura ni los aviones de plástico recostados en la biblioteca o en el escritorio. No. En su lugar había dibujos y cuadros de gran formato sobre los dioses y los héroes griegos: Hermes a toda velocidad con un papiro en la mano, Poseidón emergiendo de un fuerte oleaje, Ulises hiriendo al cíclope con un gigantesco tronco de madera.

—¿Se los hicieron sus papás? —preguntó Horacio señalando las pinturas.

—Los hicimos con mi mamá. ¿Le gustan?

—Mucho.

—Voy a decirle a ella que hagamos uno especial y se lo regalamos.

Fue una tarde inolvidable para Horacio. Entró al taller de los padres de Samuel, le enseñaron la diferencia entre una acuarela y un óleo, entre una escultura de bronce y una de mármol, trazó varios bosquejos en pliegos de papel enorme, se embadurnó, jugó con los pinceles, escuchó piezas de Charlie Parker, comió arepas rellenas de queso, bebió chocolate con leche y canela, y al final, cuando volvió a su casa, tuvo la impresión de haber estado muy lejos, en otro país o en otro continente, en territorios remotos donde los seres humanos no se comportaban como los individuos que hasta entonces él había conocido. Las onces en casa de Samuel se habían convertido en un viaje a otra realidad más poética y más perfecta que la suya.

Desde entonces, Samuel entabló cierta camaradería con Horacio, eran vistos juntos a la salida del colegio, se encontraban los fines de semana y solían jugar fútbol y montar en bicicleta por los alrededores de sus barrios. Compartían mucho tiempo el uno al lado del otro, pero había una parte de Samuel que seguía siendo incomprensible para Horacio, una parte de su personalidad que él reservaba sólo para sí y donde nadie tenía cabida. Cuando menos se esperaba, Samuel se retiraba de los juegos y se iba caminando por los potreros baldíos con las manos en los bolsillos, harto de los demás, como si la compañía de otros muchachos lo asfixiara. También le gustaba encerrarse en su habitación a leer y cuando estaba atrapado en algún libro que lo entusiasmaba, se desaparecía días enteros y no contestaba los mensajes que Horacio le dejaba con sus padres. De esta manera, aunque Samuel se viera obligado a vivir buena parte de su tiempo entre sus compañeros de colegio y tuviera un gran amigo con quien compartir su intimidad, seguía siendo un solitario, un joven que necesitaba aislarse para recomponer el ensamblaje de su identidad.

***

Había un compañero de clase de apellido Garrido, que se aprovechaba de varios muchachos porque su tamaño lo hacía parecer como si fuera un estudiante de tercero o cuarto de bachillerato, cuando lo cierto era que acababan de iniciar el primer año. Este grandulón los pisaba, los empujaba, les quitaba la comida, les robaba el dinero que tenían para comprar en la tienda del colegio, en fin, les hacía la vida imposible cada vez que podía. Un día, antes de subir a los autobuses, Samuel le dijo a Horacio:

—Mañana le voy a dar una lección a Garrido.

—¿Usted? —le preguntó él mirándolo de arriba abajo.

—No creo que sea tan fuerte como parece.

—Tiene la estatura de nuestros papás —comentó Horacio con el tono de quien insinúa «hey, te pasaste por alto un pequeño detalle».

—Algo me dice que en realidad nunca ha peleado.

—Déjese de teorías: si se mete con él, lo va a hacer papilla.

—Al principio, después veremos.

—¿Qué es lo que piensa hacer?

—Mañana se dará cuenta.

—Lo va a masacrar, se lo advierto.

—Tal vez.

—Voy a echar el botiquín de primeros auxilios de mi casa en la maleta. Nos será útil mientras llega la ambulancia por usted.

—No pierdo nada intentándolo.

—No me haga reír.

Horacio creía que Samuel estaba hablando por hablar, pero no fue así. Al día siguiente, después del almuerzo, estaban practicando algunas jugadas con el balón de fútbol en los prados que quedaban cerca de la carpintería del colegio, y vieron la figura de Garrido que se acercaba a ellos con su paso inconfundible de matón de película de vaqueros. La tarde era soleada, y suaves ráfagas de brisa hacían que el balón se ladeara cuando lo pateaban hacia arriba. Como era de esperarse, Garrido se hizo entre ellos y les ordenó:

—Necesito el balón.

Dejaron de jugar. Samuel tenía la pelota debajo de su pie derecho.

—¿No me oyeron?

—No somos sus esclavos —replicó Samuel tranquilo, sin alterarse.

—¿Qué?

—Lo que oyó, Garrido, que no somos sus sirvientes. Búsquese un balón en otra parte.

—¿Muy alzadito, o qué? —dijo el matón acercándose con actitud agresiva.

—Queremos jugar en paz, eso es todo.

—El problema es que voy a llevarme el balón.

—No, no se lo va a llevar. Lo estamos usando nosotros, cómo le parece.

Garrido estaba un poco sorprendido. Nadie solía hablarle en ese tono. Dio dos pasos más y quedó frente a frente con Samuel.

—Con que ésas tenemos —dijo amenazante.

—No le tengo miedo. Haga lo que le dé la gana.

Samuel no alcanzó a eludir la embestida de Garrido y ambos se enredaron en una pelea campal rodando por el suelo entre puñetazos y llaves de lucha libre. Como era obvio, Samuel llevaba la peor parte. Pero el desconcierto de Garrido era evidente: tenía un ojo cerrado y la nariz le sangraba abundantemente. Iba ganando la pelea sólo porque su tamaño lo beneficiaba, no porque fuera un contrincante ágil y contundente. Por un momento logró retener a Samuel debajo de una de sus rodillas y le preguntó:

—¿Se rinde?

—No —afirmó él iracundo, con una ceja rota y el labio superior hinchado de manera grotesca.

—Ríndase y lo dejo parar.

—Esto hasta ahora está comenzando, imbécil.

La frase dejó atónito a Garrido. La verdad es que Samuel no se veía muy bien como para andar amenazando. Varios muchachos de distintos cursos, que se habían acercado a contemplar la pelea, aplaudieron y le gritaron obscenidades al grandulón. Los dos combatientes volvieron a rodar por el piso, se trenzaron como sierpes y empezaron a respirar como búfalos a los que les faltara el aire. El sudor les escurría por la frente, las sienes y la nuca. Samuel se veía muy golpeado pero estaba, sin duda, en mejor forma. Garrido no podía más, el cansancio lo tenía exhausto, vencido, jadeante. Entonces Samuel, zafando la mano derecha, logró golpear a su enemigo en los testículos. La cara de Garrido palideció y se cayó de medio lado llevándose las manos a la entrepierna. El público se entusiasmó, chifló y abucheó como si estuviera siguiendo una pelea profesional en una arena de gladiadores romanos. Samuel se fue encima de Goliat y lo machacó a su antojo. Al final se sentó sobre él y le preguntó:

—¿Se rinde?

El pobre gigante no dudó en responder con la voz atragantada:

—Sí, sí, me rindo.

—Si vuelve a joder a alguno del curso, al que sea, le va a tocar venir al colegio en silla de ruedas.

A partir de ese día Garrido dejó de ser el gorila que se aprovechaba de su tamaño y se convirtió en un pelmazo enorme que no podía decir nada sin que los demás se burlaran de él. Terminó por retirarse del colegio en las vacaciones de mitad de año.

Al otro día de la pelea, en casa de Samuel, Horacio le preguntó:

—¿Cómo supo que le podía ganar?

—No estaba seguro, lo intuí.

—¿Pero cómo?

—Es fácil, Horacio, ¿cuándo ha visto a Garrido pelear?

—Nunca.

—Le tenemos tanto miedo que nunca lo enfrentamos.

—Nos duplica en peso y en tamaño.

—Pero fíjese, sus movimientos son torpes, lentos, y jugando fútbol es un paquete completo.

—Sí, eso sí.

—Supuse que no aguantaría una pelea en regla, en serio. Llevaba semanas vigilándolo e imaginándome una lucha contra él.

—Todavía no termino de creerlo.

—Bueno, hay otra cosa.

—Qué.

—Es como en el boxeo. No gana el que pega más duro. Hay que saber atrincherarse, hay que aprender a recibir sin caerse a la lona.

—Estar entre las cuerdas —dijo Horacio recordando la expresión.

—Exacto. La vida se gana a veces en esos momentos, no en los otros.

***

En 1976, el movimiento estudiantil se hizo sentir con marchas y protestas callejeras que buscaban denunciar la ausencia de una auténtica democracia. El gobierno había desatado una persecución contra todos aquellos que comulgaran con ideas de izquierda. Los padres de Samuel eran profesores en la Facultad de Bellas Artes de la Universidad Nacional de Bogotá, y además militaban en el Partido Comunista. En consecuencia, solían comentar en casa la realidad política nacional y hablar de lo sucedido durante las tomas de la Universidad por parte de las Fuerzas Militares, de los compañeros desaparecidos y de aquellos amigos que habían decidido ingresar a las filas de la guerrilla. El ambiente era tenso y una serie de llamadas amenazantes les indicó que los organismos de seguridad del Estado los tenían fichados y estaban detrás de ellos para detenerlos o matarlos.

Ese mismo año, Samuel empezó a ser visitado por extrañas visiones en las cuales figuras evanescentes, como fantasmas salidos de una niebla espesa, disparaban sobre sus padres. Dejó de soñar con Ulises y con los dioses de sus dibujos infantiles, y el terror lo persiguió en esas noches en las que procuraba, sin lograrlo, acostarse pensando en Circe o en Palas Atenea.

La situación se volvió insostenible y los padres de Samuel decidieron preparar una fuga relámpago. La madre le explicó una mañana mientras empacaban las maletas:

—Tú sabes que tenemos muchos enemigos políticos en el país, gente que no piensa como nosotros y que ve

19

en nuestras opiniones y en nuestras obras ideas peligrosas. Esta gente de la que te estoy hablando está acostumbrada a solucionar sus diferencias a la fuerza, con amenazas y atentados. Son personas ignorantes que no quieren discutir, que no respetan a los que piensan distinto de ellos, ¿comprendes lo que te digo?

—Sí señora.

—Papá ha recibido llamadas telefónicas donde le dicen que se vaya del país y creemos que por ahora es lo mejor. Nos vamos a México porque tenemos varios amigos en ese país. Ellos nos ayudarán.

Pensaban viajar los tres juntos y dejar a un amigo cercano encargado de arrendar la casa y de enviarles el dinero cada mes a través de una agencia inmobiliaria. Por precaución ya tenían los pasaportes en orden y se habían acercado a la Embajada de México a comentar su situación. Así que compraron los tiquetes de avión, llamaron al Distrito Federal para avisar su llegada inminente, e hicieron maletas con la decisión irrevocable de exiliarse del país en veinticuatro horas. Pero su destino estaba muy lejos de sus esperanzas y muy cerca de las misteriosas visiones de su hijo.

Esa misma noche, después de múltiples llamadas y de arreglos de último minuto, se acostaron cerca de las doce. Las maletas estaban en el vestíbulo, listas para ser metidas en el baúl de un taxi en las primeras horas de la mañana. Samuel se durmió apenas puso la cabeza en la almohada y, en sueños, señalándole una especie de patíbulo, una figura de larga cabellera le repitió varias veces con voz gruesa y ceremonial: «Tus padres serán sacrificados».

Se despertó con la frente bañada en sudor y el pulso alterado. Escuchó ruidos de pasos que bajaban por la escalera.

Su padre revisaba la seguridad del primer piso y, cuando estaba observando las ventanas de la sala que daban al antejardín, un disparo seco, con silenciador, lo hizo volverse y quedar inmóvil con los ojos fijos en la puerta de entrada. Pasaron unos segundos que le parecieron un siglo. Sentía el corazón latiéndole a toda velocidad. La casa estaba a oscuras y unos débiles rayos provenientes de un poste de luz de la calle se filtraban a través de las cortinas. Una patada derribó la puerta y un soldado fuertemente armado entró apuntando su arma hacia un lado y hacia el otro, intentando reconocer el lugar y previendo algún ataque que se produjera en medio de la penumbra. El padre de Samuel se tiró detrás del sofá y se quedó allí agazapado, como un animal que sabe que su vida depende de la efectividad de su escondite. Luego entraron un segundo soldado y un tercero. Uno de ellos encendió una linterna y el haz de luz empezó a desplazarse por los muebles y los muros. Un cuarto hombre dijo en voz baja desde el umbral de la puerta de entrada:

¡Rápido. Si no están aquí, vayan al segundo piso!

Entonces, por el tono de esa voz, el padre de Samuel supo que no había escapatoria y que esos uniformados no venían a detenerlos sino a asesinarlos. Buscando darles a su mujer y a su hijo un poco más de tiempo, y procurando llamar la atención de los vecinos, se puso de pie, agarró un jarrón y lo arrojó contra el ventanal de la sala. El estruendo hizo girar a los soldados y varios disparos certeros dejaron al padre de Samuel doblado sobre el sofá que le había servido de refugio.

Ese ruido del vidrio de la sala viniéndose abajo en mil pedazos dejó a Samuel sentado en la cama sin saber qué hacer. Su madre entró corriendo y, sollozando, le ordenó en secreto:

—¡Escóndete en la parte alta del clóset, rápido!

—Qué está pasando.

—¡Haz lo que te digo, quédate ahí y no vayas a salir!

Samuel obedeció y escaló por los entrepaños hasta la parte alta del armario. Su madre le arrojó encima unas sábanas y un bulto de ropa que estaba a la mano. Luego salió al corredor y, de regreso a la alcoba principal, se tropezó con uno de los uniformados cara a cara. La luz de la linterna le dio a la mujer en pleno rostro. Su larga cabellera, sus facciones finas y bien delineadas, y el diseño de su pijama que le dejaba el pecho y los hombros al descubierto, la hacían parecer como un fantasma femenino que hubiera surgido en medio de las sombras para perturbar el sueño de los hombres. El soldado no supo qué hacer y se quedó unos segundos contemplándola en silencio. Un compañero que venía subiendo las escaleras lo increpó:

—¡Dispare, dispare!

La madre de Samuel se puso de rodillas, cerró los ojos y se concentró en el recuerdo de su hijo. Sabía que no lo iba a volver a ver, que no sabría si moriría o no con ella en esa misma noche fatídica, y que si se salvaba, no lo vería crecer, no estaría jamás a su lado en los momentos difíciles, no llegaría a conocerlo de joven ni se enteraría de sus ideas, de sus gustos, de sus pasiones más desenfrenadas. Todo esto lo pensó en segundos, atropelladamente. El soldado reaccionó como si de repente alguien lo hubiera despertado de un trance muy profundo y disparó su pistola varias veces. La madre de Samuel cayó sobre el piso y su melena ensortijada quedó desparramada sobre un tapete de rayas multicolores.

De pronto la casa se inundó de voces de mando que ordenaban a los asesinos salir cuanto antes del lugar y subir a los autos que estaban encendidos en la calle esperándolos. Por unas pequeñas rendijas que permitían vislumbrar la parte externa del armario, y desde las cuales se alcanzaba a ver la habitación y parte del corredor y las escaleras, Samuel vio a varios hombres uniformados que, con linternas en la mano, descendían hacia la planta baja con movimientos precisos y ordenados. Una voz dijo:

—Falta el muchacho.

Desde abajo, otra voz contestó:

—¡Vámonos, vámonos, los vecinos ya prendieron las luces!

Luego, todo fue silencio y oscuridad. A los pocos minutos Samuel salió del clóset y descubrió los cadáveres de sus padres, uno tirado en el corredor del segundo piso y el otro abajo, chorreando sangre sobre el sofá. Las maletas habían quedado intactas a la entrada. La puerta de la casa estaba abierta y corrientes de aire helado hacían estremecer las cortinas de la sala y el comedor. Se sentó en las escaleras y perdió la noción del tiempo. La Policía lo encontró con la cabeza hundida entre las manos, en *shock*, sin poder hablar ni explicar qué era lo que había sucedido. Un equipo de paramédicos le inyectó un sedante y lo trasladó a la Clínica de la Policía.

Cuatro semanas más tarde, luego de haber respondido a las preguntas de los detectives encargados del caso, sus abuelos maternos lo sacaron del país para proteger su vida. Al ser el único testigo del crimen, cabía la posibilidad de que los victimarios tomaran algún tipo de retaliación contra él. Antes de viajar a Nueva York, le envió a Horacio por correo el dibujo que su madre había hecho para él, y una noche, la última, pasó en el carro de sus abuelos frente a la casa de su amigo y se despidió de él en secreto.

Horacio, por su parte, nunca se enteró de la verdad. Al día siguiente del asesinato, un lunes, a primera hora de la mañana, el rector del colegio reunió a todos los cursos de bachillerato y les anunció que los padres del alumno Samuel Sotomayor habían fallecido en un accidente, y que el joven, lamentablemente, no volvería a la institución.

—Después del almuerzo se celebrará una misa en la capilla —remató el rector antes de enviarlos a los salones de clase.

Horacio se dirigió corriendo a la Secretaría del colegio y llamó a su madre.

—Ven a recogerme ya, por favor —le suplicó.

—¿Te pasó algo?

—Ayer se murieron los papás de Samuel.

—Sí, hijo, ya lo sé.

—¿Llamó él?

—Algo dijeron en las noticias —dijo ella evasiva.

—Tengo que ir a verlo.

—No sé si sea una buena idea.

—Él es mi mejor amigo, mamá. Me necesita. Por favor.

El tono en el que Horacio le rogó a su madre hizo efecto, y ella, enternecida, le dijo:

—En una hora te recojo. Yo hablo con el rector para que te deje salir.

—Gracias, mamá.

La madre de Horacio cumplió su palabra, pidió un permiso especial en el trabajo, explicó en el colegio la situación y llevó a su hijo con prontitud a la casa de su amigo, a ver si alguien les podía dar información sobre lo que había pasado la noche anterior. Cuando llegaron, la fachada principal de la casa de los Sotomayor estaba atiborrada de periodistas con cámaras de fotografía y de televisión, de reporteros que tomaban notas en pequeñas libretas que luego guardaban en sus chaquetas con celo profesional, de policías que habían acordonado el sector para llevar a cabo sus investigaciones, y de vecinos y curiosos que murmuraban entre ellos mientras señalaban las distintas estancias de la casa donde había sucedido la catástrofe. Algo no encajaba con lo que el rector les había dicho en el colegio y así se lo hizo saber Horacio a su madre:

—¿Por qué hay tantos policías y periodistas? Fue sólo un accidente.

—Espérame en el carro con los vidrios cerrados. Voy a preguntar dónde está Samuel.

La orden intentaba, claro, protegerlo de las preguntas insidiosas que los periodistas hacían a los conocidos y a los vecinos que rodeaban la zona. Se trataba de que el pequeño Horacio estuviera al margen, que la desgracia de los Sotomayor no alcanzara siquiera a rozarlo.

Su madre regresó, entró al auto y le dijo poniéndole una mano en el hombro:

—La policía dice que Samuel no está, que se lo llevaron sus abuelos.

—¿Para dónde?

—No lo sé, mi amor.

—¿No nos pueden dar el número del teléfono?

—Nadie da razón de él, lo siento.

—No me puedo ir así.

—Es mejor que regresemos a la casa. De pronto él se comunica contigo.

La idea era sensata, así que encendieron el auto y se alejaron de aquella multitud que cercaba con curiosidad malsana la casa donde habían asesinado a los padres de Samuel. En el camino, Horacio se echó a llorar de dolor, de tristeza, de ansiedad. Imaginaba a su amigo solo, desamparado, enfrentando inerme e indefenso su nueva e injusta orfandad. Su madre supo respetar sus sentimientos y permaneció callada, sin dirigirle la palabra.

Unos días más tarde el cartero tocó el timbre y, por casualidad, Horacio abrió la puerta.

—¿Horacio Villalobos, por favor?

—Sí, soy yo —dijo él orgulloso.

—Tengo un paquete para usted. Firme aquí, si es tan amable.

Horacio escribió su nombre con torpeza, entró a la sala y se dio cuenta de que por ninguna parte venía anotado el remitente. Era una caja de tamaño mediano. La abrió con el corazón palpitándole a toda velocidad. Era un dibujo de Ulises abriendo los compartimentos secretos del caballo de madera en la famosa toma de Troya. En media hoja de papel, Samuel le explicaba con letra diminuta: «Ulises, el fecundo en ardides. Mi madre lo pintó para usted antes de morir».

Esa pintura estuvo siempre en una de las paredes de su habitación. Fue la última noticia que tuvo de Samuel.

Capítulo ii

EL TERRORISTA

Samuel viajó con sus abuelos a Nueva York y empezó para él una época difícil en la que se vio obligado a asimilar la muerte de sus padres lejos de su país, de su ciudad y de su colegio. Le dolía su orfandad, claro, pero por encima de ese dolor tan íntimo y personal lo atormentaba el hecho de que ellos hubieran muerto asesinados, indefensos, y que casi con seguridad los responsables del crimen fueran a quedar libres y satisfechos con lo que habían hecho. No era justo que esos miserables estuvieran por ahí, andando por la calle tranquilos y sin presiones de ninguna clase, mientras él se tragaba como podía el dolor, el exilio y la soledad, sin haber alcanzado aún la mayoría de edad. Una rabia sorda e irracional fue creciendo con él, acompañándolo, convirtiéndose día a día en una amiga fiel que lo mantenía de pie y le impedía hundirse en la zozobra y la autoconmiseración. Sabía que esa ira no era un sentimiento positivo, pero el efecto que producía en él sí lo era: lo llenaba de fuerza y de coraje, lo hacía aguantar el sufrimiento y le negaba la posibilidad de deprimirse y de hacer el papel de víctima. No, él no quería la compasión de nadie, él lo que anhelaba de día y de noche era el desquite, la revancha, la venganza. No pensaba perdonar a los individuos que habían masacrado a sus padres ni olvidar la forma en que los habían cazado como conejos en su propia vivienda. No tenía intenciones de volver la otra mejilla, no. Asimilaría la prueba que los dioses le habían enviado para medir su templanza y, apenas tuviera la edad suficiente para regresar el golpe, buscaría la manera más eficaz de enfrentarse a ese oscuro poder que le había arrebatado a su familia en cuestión de cinco minutos.

En el colegio se acercó a los muchachos hijos de latinoamericanos y se esforzó con ahínco en no perder su lengua, su cultura y sus raíces. No sufría del acostumbrado complejo de inferioridad, y citaba en las clases con orgullo los nombres de Cervantes, de Carpentier, de Fernando Botero o de García Márquez. Nombres que le llenaban la boca de altivez y de confianza en su lengua y su continente. Estudió en las bibliotecas públicas la historia de los aztecas antes de la llegada de Hernán Cortés, la orfebrería precolombina, la arquitectura inca, la medicina y la astronomía del pueblo maya. No quiso convertirse en un muchacho estadounidense ni dejar atrás la educación y la identidad que sus padres le habían transmitido, pues al lado de las historias griegas o de los pintores europeos, le habían recalcado siempre la importancia de su país y de su pueblo. Solía coger la línea del metro que lo conducía hasta Queens, el barrio de los inmigrantes latinos, y comer en los restaurantes colombianos donde reconocía enseguida el acento y los giros populares de las expresiones, y donde se acortaba gratamente, entre una bandeja paisa y un ajiaco santafereño, la distancia con respecto a su país. Y aprovechaba también para enterarse, por medio de esporádicas palabras que cruzaba con los vecinos de las mesas de al lado, con el administrador o con los meseros, de la situación nacional y de la pobreza creciente que iba apoderándose a pasos agigantados de sus compatriotas.

En 1981 sus abuelos escucharon sus súplicas y regresaron a Bogotá. De aquí en adelante su vida transcurrió velozmente, de cambio en cambio, como si alguien, desde arriba, hubiera decidido acelerar ese destino extraño que lo había cobijado desde niño. Con diecisiete años recién cumplidos era un muchacho atlético, sin vicios, extraordinario estudiante y que leía y escribía en inglés y en español con solvencia y fluidez. Lo alegraba regresar a su ciudad y estar de nuevo en el país que lo había visto nacer.

Lo primero que hizo fue visitar su antigua casa. La fachada había sido modificada y los nuevos dueños, en su empeño por dejar atrás las huellas del oscuro crimen, habían cambiado los materiales, los colores de las paredes y los baldosines de la entrada del garaje. Los recuerdos, tanto los buenos como los nefastos, lo abrumaron en un solo segundo y lo dejaron quieto en el andén, sin poder moverse, como si fuera una figura de mármol.

Al llegar a Bogotá, se dio cuenta de que tenía que empezar de cero otra vez y reinventar su vida sin ninguna ayuda alrededor. Se presentó para estudiar sociología en la Universidad Nacional y su examen fue considerado, de lejos, el mejor. Desde el principio, los profesores quedaron impresionados con el talento y las inclinaciones intelectuales de su nuevo discípulo. Mantuvo contacto permanente con la literatura y la filosofía griegas, y tomó materias donde pudiera ahondar en sus autores preferidos.

Sin embargo, la elección de esa carrera se debía a que deseaba vincularse y militar en algún grupo radical de izquierda. Sentía la necesidad de recuperar las ideas de sus padres y de estrecharse con ellos en un largo y duradero abrazo político. Para muchos, la Facultad de Sociología era un centro de operaciones de grupos comunistas que solían enfrentarse a la Policía, cerrar las vías cercanas a la universidad, quemar buses en señal de protesta, marchar por el centro de la ciudad en apoyo a los movimientos sindicales y obreros, e incluso se decía que era un lugar de reclutamiento para las guerrillas que mantenían viva la lucha en los campos y las zonas más apartadas del país.

Samuel se ganó el respeto de sus compañeros primero en las aulas. Era difícil que alguien lo superara en el ámbito académico. No se involucró de inmediato con ninguno de los grupos que se acercaron para reclutarlo. Los observó, estudió sus posiciones políticas, registró su comportamiento durante las marchas y las protestas, y al fin, decidido, ingresó en el que le pareció el mejor preparado y el más dinámico. No obstante estar satisfecho con su elección, un sentimiento seguía carcomiendo sus entrañas: la sed de venganza. No podía olvidar ni perdonar. Y lo peor era que las investigaciones seguían paralizadas y que ningún organismo se atrevía a procesar y juzgar a los culpables. Eso acrecentaba el resentimiento, la indignación y las ansias de justicia.

Cada noche, al apagar la luz, le llegaba la imagen de su madre entrando a su cuarto para esconderlo, los ruidos de las voces y los disparos, las órdenes para salir de la casa y escapar. Ni siquiera emborrachándose lograba quitarse esas escenas de la cabeza.

Cuando estaba a punto de concluir el primer año de estudios, Samuel averiguó, por medio de compañeros y amigos que trabajaban en organizaciones de derechos humanos, que los sospechosos del asesinato de sus padres eran los integrantes de la Brigada Especial del Ejército, una especie de mercenarios oficiales de quienes se decía que amenazaban a senadores y representantes a la Cámara, espiaban a ministros y altos empleados del Estado, y que, cuando las cosas se ponían feas, acosaban a candidatos a la Presidencia de la República, intelectuales de izquierda, líderes políticos, periodistas, sindicalistas de renombre y cualquier individuo, de la profesión que fuera, que les oliera a comunismo. La lista de delitos de la Brigada Especial superaba la de cualquier organización sicarial de los carteles del narcotráfico, que ya empezaban a coger fuerza en el país.

Samuel confirmó las informaciones de sus amigos y él mismo se enteró del estado en el que iba la investigación. En efecto, había indicios de que algunos hombres de la Brigada Especial habían participado en el crimen, pero ciertos datos no concordaban, no había testigos que corroboraran esas pistas, y, como si fuera poco, los superiores aportaron pruebas suficientes de que sus subordinados estaban, justo ese día y a esa hora, por fuera de la ciudad en una misión de inteligencia contra la guerrilla. En resumidas cuentas, los sospechosos estaban limpios y no había nada que hacer.

Samuel, entonces, radicalizó aún más su posición dentro del grupo estudiantil al cual pertenecía. Convenció a los coordinadores de que las marchas, las protestas, los discursos y las pancartas no eran suficientes. Les explicó que al otro lado no había un grupito de jovencitos con buenas intenciones, armados como ellos con lápices y cuadernos, sino batallones de soldados bien entrenados que al menor descuido se les vendrían encima para dispararles o para capturarlos y llevarlos a la Escuela de Caballería, al norte de la ciudad, donde los torturaban hasta dejarlos desquiciados e inservibles de por vida. En esas condiciones no iban a ganar nunca. Antes de iniciarla, esa guerra ya estaba perdida. Si querían de verdad imponerse y combatir de igual a igual, era preciso armarse, golpearlos donde más les doliera y realizar ataques bien planeados en los cuales quedara claro que el grupo de la universidad no era una pandilla de mocosos jugando a ser bravucones, sino un grupo político serio dispuesto a defenderse hasta las últimas consecuencias.

Las palabras de Samuel fueron bien recibidas. Ni siquiera hubo discusión. Gracias a su poder de convencimiento, había conducido a los demás en la dirección que él deseaba. En este caso el objetivo era claro: vengarse. Y aunque fuera consciente de la bajeza que implicaba utilizar a sus amigos para fines estrictamente personales, ya no podía hacer nada para detener esa máquina guerrera que acababa de nacer y que más adelante exigiría su cuota de sangre.

Lo primero que hicieron fue recoger un buen número de revólveres. Trabajando en grupos pequeños, de máximo cuatro personas, se dedicaron a asaltar celadores despistados y desprevenidos que, cuando menos lo pensaban, tenían un cuchillo o una navaja en la espalda. En esa primera fase no hubo una sola víctima. Los porteros de fábricas, edificios y conjuntos residenciales eran hombres pacíficos, bonachones, que estaban en ese trabajo no porque les agradara la acción o la violencia, sino porque la tasa de desempleo del país era alta, y las empresas, las fábricas y las oficinas, en lugar de ampliar sus instalaciones y sus servicios, estaban liquidando personal y arrojando trabajadores a la calle. Era difícil ganarse la vida honradamente y sin hacerle mal a nadie. Por eso las compañías de vigilancia y seguridad estaban llenas de criaturas mansas y reposadas que, apenas sentían el acero en el cuello o en la espalda, entregaban sus armas sin defenderse.

El segundo paso fue el robo de bancos. Eligieron sedes que estuvieran alejadas de las estaciones de policía y cuyos sistemas de seguridad fueran defectuosos y poco eficientes. Esos golpes les representaron una fuerte suma de dinero que les permitió mejorar aún más el armamento, comprar chalecos antibalas y cajas de municiones, instalar una red de telecomunicaciones y una oficina de prensa camufladas en una bodega en las afueras de la ciudad, y, con cautela y prudencia, empezar a corromper funcionarios del gobierno y militares endeudados para que les pasaran información secreta y confidencial.

Para terminar, rastrearon los nombres de varios millonarios de bajo perfil, hombres de negocios que no tuvieran guardaespaldas ni carros blindados, y les exigieron una cuota moderada de dinero al mes. El resultado fue impresionante: dejaron de ser un corrillo de estudiantes revoltosos y se convirtieron en un grupo subversivo urbano importante. Comenzaron a salir en los periódicos y a obtener cierto prestigio. Fue necesario retirarse de la universidad y pasar a la clandestinidad, pues los organismos de seguridad estaban como locos detrás de ellos, buscándolos, persiguiéndolos e intentando dar con sus verdaderos nombres y con la estructura interna de su organización. Fue el inicio de una guerra en la que, inevitablemente, empezaron a caer integrantes de lado y lado.

Una noche se llevaron a los abuelos de Samuel a la Escuela de Caballería y los interrogaron con insultos y amenazas. Cualquier manotazo los dejaba paralizados de miedo. A la madrugada, después de ocho horas de interrogatorio seguido, los soltaron. Regresaron a su casa muertos de pánico, con hambre y congelados por el frío que habían tenido que aguantar en las caballerizas. A otros integrantes de la organización les torturaron a sus hermanos, a sus padres, a sus tíos o a sus primos. Llegaron incluso a desaparecerlos. Era una guerra sucia y sin reglas establecidas.

Los abuelos de Samuel vendieron todo y se fueron otra vez a Nueva York. Dijeron que estaban muy viejos para soportar una situación semejante.

Después, lo primero que hizo Samuel fue encerrarse en una casita del barrio Belén, en el centro de la ciudad, y entrenarse lo mejor que pudo para el atentado definitivo. Todos los días hacía gimnasia y ejercicio para fortalecer las piernas y los brazos, una hora de meditación profunda y luego dos o tres horas de artes marciales. Había aprendido karate en Nueva York. En la Universidad Nacional, en Bogotá, durante el primer año, había participado en los torneos nacionales de esta disciplina.

En esa casita estuvo encerrado tres meses preparándose para el golpe final. En el argot revolucionario se llamaba a esa acción *enterrarse*, que significaba desaparecer antes de un golpe importante, borrar toda huella, no dejar pistas por ninguna parte para los futuros sabuesos. Convirtió su cuerpo y su mente en una máquina de ataque infalible. Además, compañeros de mayor experiencia en atentados similares le habían explicado que antes de una prueba de esas dimensiones era bueno estar fuera de circulación para no despertar sospechas. Porque siempre hay infiltrados que pasan información o trabajos de inteligencia militar que descubren la amenaza a tiempo y caen enseguida sobre los responsables para capturarlos o matarlos.

Samuel pasó largas horas de encierro en aquella casa humilde y solitaria. Los libros fueron sus únicos amigos, sus aliados más leales, su única manera de vencer sin desesperarse la reclusión conventual que lo desgastaba poco a poco. Sólo una vez a la semana salía hasta el parque del barrio y se aprovisionaba en uno de los mercados ambulantes que instalaban sus toldos rojos desde la madrugada. Procuraba no hablar con nadie, no intimar, no llamar la atención con una broma o un comentario jocoso. Sabía que su vida dependía de su capacidad para pasar inadvertido. Terminaba las compras, regresaba a la casa y se encerraba hasta la semana siguiente. Pagaba los servicios públicos de afán a mediados de cada mes, y, para despistar a posibles agentes de inteligencia militar que estuvieran detrás de ellos, los enlaces que la organización mantenía con él eran todos por correo. En largas misivas que parecían cartas de enamorados o peticiones cariñosas de una tía abnegada a su sobrino, sus hombres de confianza lo mantuvieron al tanto del plan y le fueron confirmando semana tras semana los detalles que él mismo había diseñado. Se trataba de dinamitar los camiones de soldados de la Brigada Especial cuando tomaran la ruta hacia Melgar. Ese recorrido se cumplía mensualmente y era coordinado de nuevo por el general Altamirano, el mismo que había organizado y dirigido el asesinato de los padres de Samuel. Los soldados seguramente ya no eran los mismos, pero si Altamirano había regresado a tomar otra vez las riendas de la Brigada, era porque ésta seguía cumpliendo sus oscuras y sangrientas funciones. El explosivo se detonaría desde una venta improvisada de gaseosa, papas fritas y maní, a unos sesenta metros, y, aprovechando el caos y la confusión, saltarían sobre los uniformados y los rematarían a sangre y fuego. La oficina de publicidad y prensa se encargaría de hacer llegar a los medios de comunicación la serie de investigaciones que se le llevaban a cabo al general Altamirano y las múltiples denuncias por genocidios y crímenes de lesa humanidad que habían levantado contra él las organizaciones no gubernamentales. Había que impedir que el Ministerio de Defensa lo presentara como un militar probo y recto que había perecido en el heroico ejercicio de su deber. La opinión pública tenía que enterarse de la verdad: la Brigada Especial era un foco criminal, una cueva de delincuentes y malhechores.

Tres días antes de la fecha indicada para el atentado sonó el timbre de la casa. Samuel agarró la pistola y miró por la ventana con cautela. A veces tocaban a la puerta predicadores de sectas religiosas o tercos vendedores ambulantes. Esta vez no era la típica solterona con la Biblia en la mano ni el rechoncho comerciante de cepillos. No. Parada en el andén, con unos jeans ajustados y una blusa hindú levantada ligeramente por la brisa vespertina, una joven de veinticinco años esperaba con los ojos bien abiertos y sin parpadear. A su lado, recostados en el piso, tenía un morral de montañismo y una chaqueta impermeable. Samuel abrió la puerta enseguida.

—¿Qué diablos estás haciendo aquí? —preguntó él mirando a ambos costados de la calle.

—Te traigo lo necesario —respondió ella alzando el morral y la chaqueta.

—¿Tú?

—Sí, yo, cuál es el problema —replicó torciendo la boca, indignada.

—Ven, entra —dijo él tomándola del brazo y haciéndola pasar.

Samuel no sabía cómo comportarse. Constanza había sido su única novia hasta ese momento. Era una joven de rasgos delicados, pelo castaño y ojos acaramelados, muy temperamental y de decisiones intempestivas de las cuales podía arrepentirse al día siguiente. La había conocido en la universidad, entre clase y clase, y su relación con ella no había sido fácil de manejar. Los altibajos emocionales de Constanza la hacían estar sonriente en la mañana, amorosa y complaciente, y de pronto, sin explicación alguna, en las horas de la tarde estaba irascible, de mal genio, al borde de un arrebato de cólera.

—¿Quieres un café? —le ofreció Samuel con la voz reposada.

—Bueno, gracias.

—Deja el morral ahí, luego lo reviso.

—Está todo completo.

Se había enamorado de ella sin darse cuenta, lentamente, compartiendo a su lado tanto el mundo académico como la actividad política dentro de la organización. En cierta medida Constanza se le presentaba como un enigma por resolver, como un misterio o un acertijo que había que descifrar despacio y sin apresurarse. Muchas veces había sentido a su lado la sensación de estar caminando por un laberinto a oscuras con puertas falsas y pasadizos que no conducían a ninguna parte.

—¿Azúcar?

—Dos, por favor.

Sin embargo, en un lapso muy corto —una semana o dos—, ella comenzó a cambiar, se alejó, se volvió huraña y se rehusó a responder los mensajes que él le dejaba. Terminó la relación sin dar explicaciones y sin importarle las heridas que había dejado en él. No quiso volver a acercarse y se negó a hablar de las causas de una determinación tan radical e implacable.

—¿Muy caliente? —preguntó Samuel intentando sonreír.

—Así es que es bueno —afirmó ella sorbiendo de su taza y mirándolo a los ojos.

Varios meses después de la ruptura, un lunes a la salida de la universidad, Constanza lo esperó en la calle 45 y le pidió unos minutos para conversar con él. Iba con lentes oscuros y tenía magulladuras en el cuello y en la nuca. Samuel le preguntó asombrado:

—¿Qué te pasó?

—¿Tienes tiempo?

—Claro que sí.

—Busquemos una cafetería donde no haya nadie.

Se instalaron en un restaurante de comidas rápidas. Constanza se quitó los lentes y Samuel pudo ver los moretones y las hinchazones que le afeaban el rostro alrededor de los ojos y a ambos lados de la nariz. Y entonces, entre tazas de café humeante, empanadas y pastelillos gloria, ella le contó una historia extraña, sórdida y desagradable. Antes de comenzar le advirtió:

—Confío en ti no porque hayamos estado juntos ni nada parecido, sino porque tu inteligencia es fuera de lo común y no tienes el cerebro de mosca de los demás.

Samuel asintió y se quedó callado, esperando.

El primer episodio de la narración de Constanza era una detención imprevista a la salida de un mitin político en favor de los líderes sindicales asesinados en ese último año. La Policía la arrestó y la condujo al edificio del Departamento Administrativo de Seguridad (DAS), en Paloquemao. Dos agentes la bajaron esposada hasta los oscuros sótanos de la institución. Allí la esperaba un hombre corpulento, de tez cobriza y gruesos bigotes negros.

—Yo me encargo —dijo el tipo con un vozarrón que inundó los socavones del recinto.

Los policías la dejaron en un sillón metálico y salieron del lugar apresurados y sin mirar hacia atrás. El grandulón murmuró en un tono confidencial:

—Bueno, hay que ganarse el pan.

La cogió de un brazo y la arrastró hasta un cuarto mal iluminado por una bombilla agónica. Le soltó las esposas, la acostó en una camilla boca abajo y le amarró los brazos y las piernas con gruesas correas de cuero. Le recomendó en un tono paternal:

—Es mejor que confiese todo de entrada.

—No tengo nada que confesar —dijo ella temerosa pero al mismo tiempo con ansiedad, como si su cuerpo estuviera muy atento y a la expectativa.

Le quitó los zapatos y las medias, le subió la bota del pantalón hasta la pantorrilla y humedeció ligeramente la planta de los pies con una esponja. El primer golpe fue en el pie derecho, un golpe seco que le hizo estremecer toda la pierna hasta la cadera.

—Díganos a qué organización pertenece, cuántas personas la integran, dónde se reúnen, qué planes tienen y quiénes son los cabecillas del grupo.

—No pertenezco a nada, se lo juro.

—Parece que tendré trabajo —dijo el hombre en un tono neutro, sin amenazar.

Los golpes se alternaron entonces primero en un pie y después en el otro. El dolor iba tomándose en ráfagas intermitentes las piernas completas, la cadera, el tronco, los brazos, el cuello y finalmente llegaba a la cabeza en forma de espasmos irregulares.

—Los nombres, lo más importante son los nombres.

—Le juro que no sé nada.

El hombre la estaba golpeando en la planta de los pies con unas varillas gruesas de metal. La intensidad iba subiendo en la medida en que ella se negaba a dar información. Era un maltrato que iba de un pie al otro, que hería por extrañas resonancias internas las articulaciones y los músculos del cuerpo entero, y que en su punto culminante arribaba al cerebro y lo hacía temblar como si estuviera bajo el efecto de unos electrochoques de alto voltaje.

Hubo una pausa. El sujeto cambió el grosor de las varillas y la azotó esta vez con unas más delgadas que utilizó en golpes rítmicos, acompasados. El efecto fue diferente: la tortura se hizo más interna y se apoderó del hígado, el estómago y los riñones. Constanza sintió mareo y ganas de vomitar. Tenía la boca llena de saliva.

—Es mejor que hable.

No pudo decir nada. Las palabras se negaron a salir y se redujeron a susurros incomprensibles, a sonidos guturales acompañados por muecas ridículas y extravagantes. Sintió que la vejiga se vaciaba en contra de su voluntad, que el esfínter se negaba a retener el líquido y que chorros calientes de orina le escurrían por los muslos y la parte interna de las piernas. Simultáneamente sus ojos se llenaron de lágrimas. Pero no era que estuviera a punto de llorar de angustia o desesperación, sino que el organismo se abría, se dilataba y permitía que los flujos corporales corrieran a su antojo. Y ahí era donde estaba el horror: que su cuerpo, más allá del sufrimiento, agradecía esa libertad y esa independencia.

—No pensé que resistiera tanto, monita.

El gigante seleccionó entonces las varillas más afiladas y aumentó la velocidad de la paliza. La joven se estremeció de arriba abajo. El dolor desapareció por completo y corrientes placenteras recorrieron sus pezones, su ano, la piel de sus nalgas y su vulva, y sintió que su clítoris era sacudido por un torbellino de gozo y de bienestar. Su vagina se humedeció y anheló palpitante que el hombre la penetrara y la sometiera a un sexo brutal y sin control. Dejó de verlo como un victimario despiadado e inclemente, y estuvo a punto de rogarle que la hiciera suya, que le bajara los pantalones allí mismo y la poseyera hasta dejarla agotada y exhausta.

La sesión terminó. El bigotudo salió y ella lo escuchó hacer una llamada interna. Un ayudante vestido de civil llegó, le desató las correas, la hizo sentarse, le acercó un balde con agua helada mezclada con algún tipo de medicamento que despedía un olor salitroso para que introdujera en él los pies, y le prometió una ducha, una cama y ropa limpia para dormir. Veinticuatro horas después le entregaron sus pantalones y su blusa recién lavados y planchados, la soltaron y le advirtieron que no se volviera a meter en problemas. Tenía ya los pies desinflamados y pudo salir del edificio por sus propios medios.

Samuel estaba aturdido y confuso. No sabía cómo interpretar la historia y no quería juzgarla de manera apresurada. Dejó que Constanza tomara la palabra.

—Lo que te acabo de contar fue sólo el comienzo. Lo peor vino más tarde —comentó ella bajando la cabeza avergonzada.

—Qué pasó —preguntó él con la voz reposada, aparentando tranquilidad y haciendo un gran esfuerzo por controlar sus emociones.

—Ya te imaginarás, por lo que te acabo de decir, que yo nunca había experimentado sensaciones tan intensas. Me dije a mí misma que no había pasado nada e intenté olvidar lo ocurrido y seguir con mi vida normalmente. Pero no pude. A los pocos días me di cuenta de que quería volver a ver a ese hombre, soñaba con él, creía reconocerlo en los buses, en la calle, en los almacenes, en todas partes. Era una pesadilla completa.

—Lo buscaste.

Ella tomó aire y suspiró.

—Sí, lo esperé a la salida del DAS y lo seguí hasta su casa.

—¿Y entablaste una relación con él? —dijo Samuel alisándose el cabello para calmar los nervios, descubriendo de pronto que ése había sido el oscuro motivo por el cual Constanza lo había abandonado.

—Prefiero ahorrarte los detalles. No debe ser fácil para ti oír todo esto.

—¿Te alejaste de mí para meterte en una relación sadomasoquista? —insinuó él con tristeza, con rencor, sintiendo unos celos repentinos que le abrasaban las entrañas.

—Esos términos son sólo palabras, tú y yo lo sabemos bien. Lo que yo descubrí es que mi verdadero placer estaba por fuera de los límites establecidos, que yo nunca iba a ser feliz si me limitaba a llevar una sexualidad plana, como la de los demás. Intenta comprenderme.

—Lo que no entiendo es por qué me buscas a mí para desahogarte y hacer alarde de tus hazañas sexuales.

—Yo no estoy haciendo alarde de nada, Samuel. Necesito que me ayudes, por favor.

—No me vayas a pedir que hagamos un trío —dijo él con un sarcasmo hiriente, venenoso.

—Deja ya la ironía, no estoy para chistes pesados.

Se quedaron ambos en silencio, suspendidos en la atmósfera del lugar, escuchando el ruido de los autos en la calle y las voces de los clientes que ordenaban una hamburguesa o una porción de papa a la francesa. El viento silbaba en una bocacalle cercana. Constanza retomó la conversación:

—La situación se me salió de las manos. Tengo que alejarme de este tipo y de mí misma.

—No me quiero imaginar lo que pensarán nuestros amigos si se llegan a enterar de que el detective que dirige los interrogatorios en el DAS es tu novio —comentó él manteniendo el tono mordaz, hurgando en la herida hasta hacerla sangrar.

—Ya he pensado en eso —dijo ella melancólica, como si estuviera hablando para sí misma—. Tengo que salirme de este rollo. Si sigo viéndome con él, creerán que los traicioné, y no es así.

—Podrías casarte y comprarte una casa del terror para irte a vivir en ella con tu marido.

—¡Vete a la mierda! En el fondo eres como todo el mundo —gritó ella levantándose y buscando la salida.

—Claro que soy como todo el mundo —replicó Samuel con los ojos rojos de la ira—. No me gusta que me pinchen ni que me den puñetazos.

La conversación había terminado mal y Samuel salió ofendido y acongojado. Lo irritaba el hecho de que Constanza pensara sólo en su placer personal y que no se hubiera tomado el trabajo de llamarlo y de darle una explicación. Había hecho el papel de novio atormentado, mientras la otra, en brazos de un sádico, daba rienda suelta a su lujuria y sus bajas pasiones. Era indignante. Sin embargo, venciendo sus sentimientos personales, la llamó a la mañana siguiente y le dijo que tenía una idea para que ella saliera de la ciudad en los próximos días.

—Siento mucho lo de ayer, Samuel —exclamó ella apenas lo escuchó al otro lado de la línea telefónica—. Tenías todo el derecho de estar furioso conmigo.

—Ya pasó —dijo él restándole importancia a lo sucedido—. Ahora lo importante es que te alejes de esa historia.

—Es lo que más deseo.

—Necesitamos a alguien que vaya a Medellín. Varios grupos universitarios están pidiendo apoyo y quieren estrechar vínculos con nosotros. Tú puedes ser el enlace perfecto.

—¿Sí? —preguntó ella emocionada, agradecida.

—El viernes terminamos exámenes. Podrías viajar el sábado y así no pierdes materias ni te atrasas en los cursos. Si las cosas marchan bien, pides un traslado y te quedas en Medellín el tiempo que sea necesario.

—¿Harías eso por mí?

—Hoy mismo llamo a la gente de Medellín y arreglo todo.

—No sé cómo...

—Yo te estoy avisando —la interrumpió Samuel y colgó dando por terminada la llamada.

En efecto, Constanza había viajado a Medellín y había armado en esa ciudad una especie de sede paralela de la organización de Bogotá. Un trabajo impecable que los hizo crecer como fuerza política y que los obligó a extenderse después a Cali y Barranquilla. La presión que ejercían no se concentraba ya sólo en Bogotá, sino que se había desplegado por todo el país, convirtiéndolos en un movimiento de alcance nacional. En cuanto al ex amante de Constanza, Samuel pasó el dato de lo que hacía. No la nombró a ella y dijo que no quería enterarse de las medidas que la organización tomara con respecto al torturador.

Todo esto lo recordó Samuel en pocos minutos la tarde en que Constanza apareció por sorpresa en la casita del barrio Belén para llevarle una chaqueta impermeable y un morral cargado de cables y dispositivos electrónicos, como si en apariencia ella fuera una ingenua deportista que estuviera prestándole la indumentaria adecuada para irse a escalar montañas y acampar en algún páramo desolado en las afueras de la ciudad. Estaban sentados el uno frente al otro en la cocina, con sus respectivas tazas de café en la mano. Ninguno sabía cómo romper el silencio gélido que los rodeaba.

—¿Quieres más? —preguntó él acercándose a la cafetera.

—Sí, está delicioso.

Mientras servía el café y acercaba un recipiente lleno de azúcar hasta el tope, Samuel pensó en esa extraña distancia que poco a poco va creciendo entre personas que se aman, hasta el punto de verse el uno al otro como si fueran dos perfectos desconocidos. Es como si existieran dos fuerzas opuestas, siguió pensando Samuel: primero se manifiesta la de la atracción, la que une, la que estrecha los cuerpos en un solo abrazo, la que logra crear esa amalgama de gustos e inclinaciones similares que se llama *pareja*, y luego, con una gran sutileza, se va manifestando la otra fuerza, la del rechazo, la que aparta, la que desaloja y deja a los amantes a la intemperie enfrentando el frío y la noche de su tétrica e invernal intimidad. El problema es que esa segunda fuerza no es percibida por los dos sujetos al mismo tiempo, continuó monologando Samuel. Sólo uno de ellos intuye y experimenta el alejamiento, y sin querer empieza ese largo camino que lo conducirá a la separación inevitable, a la culpa y a la más árida soledad. Hasta que otro cuerpo y otra psicología ejerzan de nuevo el papel de imán y la historia vuelva a repetirse de manera idéntica, sin variaciones ni posibilidades de entrar a improvisar. La verdad, concluyó Samuel, es que el panorama era bastante desalentador.

—Bueno, me tengo que ir —dijo Constanza dejando la taza de café sobre la estufa.

—Sí, claro —exclamó Samuel como un autómata, sin pensar en lo que estaba diciendo.

—¿Quieres revisar el material?

—No hace falta.

—Está completo, yo misma lo empaqué.

—Ok.

—Sólo me resta desearte buena suerte.

—Gracias.

Lo abrazó con fuerza, le dio un beso en la mejilla y salió de la casa con los hombros caídos y la espalda encorvada, como si acabara de caminar cientos de kilómetros sin víveres y sin un solo sorbo de agua. «Es el efecto del silencio —pensó Samuel—, no supimos cómo recuperar nuestra amistad, cómo tender un puente que nos devolviera el diálogo y la comunicación entre nosotros.» Esa misma noche, intentando conciliar el sueño, estuvo dándole vueltas al asunto y llegó a la conclusión de que se trataba también de cómo perdonar al otro, de cómo ponerse en su pellejo sin juzgarlo. Él tenía que comprender la escandalosa relación que Constanza había sostenido con su verdugo. Y no era fácil aceptar una cosa semejante. De ahí el triunfo de ese silencio hermético que les había impedido aproximarse y buscar un camino de reconciliación.

Capítulo III

EL ATENTADO

La idea y todos los pormenores del plan contra Altamirano y la Brigada Especial del Ejército eran completamente autoría de Samuel. Estaba en su contra el hecho de que los hombres que habían disparado contra ellos seguramente estaban desperdigados en distintos puestos del Ejército, pero el hombre principal, el jefe, había regresado a dirigir la misma brigada, quizás porque sus superiores no tenían a ningún criminal tan experimentado como él para ese puesto. Por eso lo mataría, y en nombre de los viejos asesinos de esa noche, eliminaría a los nuevos asesinos que lo acompañaban ahora. Unos por otros.

El día en cuestión, Samuel se levantó a las tres de la madrugada y practicó varios ejercicios de karate y de gimnasia sueca. Necesitaba calmar los nervios y dominar la ansiedad que lo embargaba. Un error le podía costar no sólo su vida, sino la de los hombres que lo iban a acompañar en la misión. Era preciso controlar la excitación para alcanzar el máximo grado de concentración posible.

Bebió una taza de café bien caliente, agarró su pistola, el morral y la chaqueta impermeable, y se dirigió al sitio donde sus amigos habían acordado encontrarse con él: la avenida 68 con la calle 80. El camión bajaría por la calle 100 y después de cruzar la avenida Suba seguiría directo por la avenida 68 hacia el Sur. Ellos esperarían a los militares a la altura de la calle 80 y tomarían a todo el comando por sorpresa. Después de la explosión podían quedar varios de los soldados con vida y lo más seguro es que se bajarían del camión con las armas listas para defenderse. Por eso Samuel necesitaba refuerzos para rematar a todo el pelotón.

Amanecía cuando llegó al caño y divisó, a pocos metros del puente, estacionado en el costado occidental de la avenida, el Renault 6 que habían convenido para el atentado. Se acercó y comprobó que, en efecto, hubieran dejado las puertas sin seguro y que los treinta y cinco kilos de dinamita estuvieran bien instalados. Vio las catorce bolsas de veinte tacos bien compactados unos con otros, y sumó mentalmente con rapidez: si cada taco pesaba ciento veinticinco gramos, los doscientos ochenta tacos daban como resultado los treinta y cinco kilos exactos. Eso era suficiente como para abollar el camión y obligarlo a irse de lado contra el separador de la avenida. La carga había sido colocada en forma de cono para que el efecto fuera aún más contundente. Se trataba de ecuagel, una dinamita amoniacal ecuatoriana muy maleable, perfecta para un atentado de esas características. Los paquetes estaban perforados y el cordón detonante atravesaba el papel parafinado de varios tacos en cada una de las bolsas. Samuel aseguró el detonador al cable con cinta aislante y se dio cuenta de que éste salía del carro, subía por el poste de la luz camuflado en un tubo de PVC y estaba instalado a todo lo largo de las cuerdas de la luz hasta la caseta improvisada como tienda callejera, a unos sesenta metros de distancia. Seguramente sus compañeros, haciéndose pasar por técnicos de la empresa de energía, habían dejado todo listo el día anterior. El trabajo era impecable.

Salió del carro manoteando y maldiciendo en voz baja, como si el motor se acabara de estropear y la máquina se negara a encender dejándolo varado y en mitad de la avenida. Caminó unos metros por la calzada occidental hasta llegar a la caseta donde sabía que estaban esperándolo sus amigos. Se acercó con naturalidad, como si fuera un trabajador cualquiera que desea tomarse un café o una gaseosa para reforzar el desayuno. Adentro, sin embargo, el ambiente era tenso y complicado. En la parte delantera, como si fuera el vendedor principal, estaba Miguel, un joven caleño, alto y atlético que había sido el encargado de robar los dos autos, el que estaba cargado con la dinamita y el Renault 12 que los esperaba más allá del puente para fugarse. En la parte de atrás de la tienda, entre unas canastas de gaseosa, estaba Fernando, un estudiante de arquitectura de baja estatura, gordiflón y malgeniado, que disimulaba los nervios haciéndose el duro y regañando en voz baja a los demás. Y en la parte de afuera, como si se tratara de un transeúnte que acabara de detenerse para comprar un poco de maní o unos chicles, estaba Claudio, su viejo compañero de sociología, de estatura media, fornido y con un temperamento racional que le impedía desequilibrarse o salirse de casillas con facilidad. Claudio era, por supuesto, el que más confianza le inspiraba. No bien llegó a la tienda, Fernando lo increpó:

—Llegaste cinco minutos tarde. Pensamos que te había sucedido algo.

—Vigilé el sector antes de acercarme —exclamó Samuel con la voz reposada.

—De todos modos estábamos preocupados por ti. ¿Tuviste problemas?

—No, ninguno.

—Estábamos aquí hace rato esperándote.

Samuel no le puso atención al reclamo, le dio una palmada en la espalda a Miguel y se abrazó con Claudio efusivamente.

—Qué alegría verte, hermano —le dijo Claudio con una sonrisa de oreja a oreja.

—No sabes la falta que me has hecho —le confesó Samuel sintiendo de pronto una inmensa alegría de tenerlo cerca.

—Me imagino los meses que pasaste en ese encierro tan berraco. Pero valió la pena, hermano, los organismos de seguridad te perdieron totalmente el rastro. No saben nada de ti.

—No me enloquecí de milagro.

Fernando les llamó la atención:

—Esto no es una reunión social, maestros. Hay que estar pendientes.

—Si no controlas los nervios vas a cagarte toda la operación —le dijo Samuel tomando las riendas de la situación—. Relájate un poco.

Cambiaron un par de impresiones más con Claudio, comprobaron la hora, vieron que, por fortuna, ningún transeúnte había tenido la ocurrencia de acercarse a comprar nada en la falsa tienda (lo cual habría complicado la situación), y se cercioraron de que las armas estuvieran cargadas y sin seguro. Samuel revisó que el explosor quedara bien adherido al cable que venía desde la carga, se aseguró también de que las cuatro pilas grandes Eveready estuvieran en buen estado dentro del explosor para que éste no fuera a fallar en el instante decisivo, y se quedó al acecho, atento a cualquier camión que se divisara a lo lejos bajando por la avenida 68. El botón rojo del explosor estaba listo para ser hundido en cualquier momento. Miguel y Fernando miraban hacia el Renault 6 a cada segundo, y Claudio y él, de medio lado, no perdían de vista la calle y los automotores que venían rodando en la misma dirección que ellos. No obstante, los minutos pasaban y el camión no aparecía.

—Estos cabrones no van a venir y nos vamos a quedar aquí como un hatajo de imbéciles —exclamó Fernando sin quitar la mirada de la calle.

—Ya son las seis y diez —comentó Miguel echando una ojeada a su reloj de pulso.

—Esto es una mierda —Fernando subió el tono de la voz y se peinó el cabello hacia atrás.

—No grites —ordenó Samuel con el explosor en la mano y los ojos puestos en la avenida 68.

—En los últimos meses no se retrasaron nunca —dijo Fernando manteniendo el tono de la voz elevado.

Samuel decidió enfrascarse en una discusión para que Fernando se desahogara y se calmara de una vez. Le dijo con tranquilidad, con las manos inmóviles, sin inmutarse:

—Bueno, pues hoy tuvieron un percance y ya está. No hay que hacer un escándalo por eso.

—¿Ah sí? Y todo se va a la mierda... Llevamos tres meses planeando esto, maestro, para que en el último minuto todo se nos joda.

—Si así llegara a pasar, la culpa no es de nadie.

—¿Y quién está hablando de culpas? ¿Estoy culpando a alguien? Lo que digo es muy claro: habríamos podido cogerlos más arriba, en la calle 100 antes de la autopista, antes de que tuvieran posibilidades de desviarse.

—Quedábamos muy cerca del Cantón Norte y de la Escuela de Caballería. Hay mucho tráfico militar en la zona.

—¿Ah sí? A ver, sabelotodo, ¿y aquí no estamos cerca de la Escuela Militar?

—No es lo mismo. Aquí no hay tanto movimiento de tropa ni desplazamiento de soldados hacia el sur de la ciudad. Tú lo sabes bien, estudiamos cada una de las rutas.

—Si hubiéramos atacado más arriba no estaríamos aquí como unos cretinos. Pudieron desviarse por la autopista o por la avenida Suba. Y nosotros aquí, como unos tarados.

—Ya, cálmate.

—Estoy calmado, maestro, sólo estoy diciendo la verdad.

De pronto Claudio exclamó:

—¡Listo, allá vienen!

Samuel se concentró en el camión que se divisaba a cierta distancia, más o menos a la altura del supermercado Cafam, a unos doscientos metros. Sintió que se quitaba un peso de encima al notar que no venían carros ni antes ni después de los militares. El explosor le pesaba entre sus manos sudorosas. Sabía de memoria que su efectividad estaba registrada en milésimas de segundo, así que debía accionarlo justo cuando el camión estuviera pasando al lado del carro cargado. Los segundos parecían siglos. Podía escuchar la respiración de sus amigos entre la caseta. El camión se acercó al caño y cruzó el pequeño puente, y en el momento exacto en que estaba frente a la puerta de atrás del Renault 6, Samuel apretó el botón rojo y una poderosa explosión lo obligó a entrecerrar los párpados por unos breves instantes. Las ruedas del camión se levantaron un segundo en el aire, luego se fue de costado en medio de un poderoso fogonazo y la fuerza de la explosión lo lanzó contra el separador de la avenida. Una columna de humo ascendió en el aire frío y húmedo de la mañana. Dos carros que venían en dirección contraria frenaron en seco y dejaron las huellas de los neumáticos marcadas en el pavimento.

Samuel salió de la caseta como un relámpago y corrió hacia el camión. Tenía el rostro de Altamirano como un tatuaje incrustado en la memoria. Sólo le importaba eliminarlo, nada más. Sin embargo, no alcanzó a dar cinco pasos cuando una segunda explosión hizo pedazos el camión militar e incendió la chatarra humeante, la cabina y los restos de la carpa trasera. Ninguno de los soldados alcanzó a salir del automotor con vida. Dos o tres peatones contemplaban la escena desde el puente que se elevaba sobre la avenida 68. Varios carros se habían detenido ya a ambos lados de la vía y en las proximidades de la calle 80.

Los estallidos habían sucedido en un lapso tan breve, que a Samuel le pareció imposible que su venganza se consumara de una forma tan fugaz, tan efímera. Aunque sabía que la explosión irradiaba una temperatura de miles de grados centígrados, no se le había ocurrido imaginar que el camión pudiera convertirse en una especie de segunda bomba. Muchas veces había soñado con ese momento, y en todas ellas, siempre, él se acercaba a Altamirano con la pistola en alto, lo miraba de frente, lo veía con canas, envejecido, con unas cuantas arrugas alrededor de los ojos, y lo remataba sintiendo el impacto del disparo en los dedos, en la mano y en el antebrazo. Quería experimentar físicamente su venganza, palparla,

aprehenderla, estremecerse con ella. No había sospechado siquiera la posibilidad de una muerte así, distante,
impersonal, como si se tratara de un accidente ocasional.
Por un instante tuvo la impresión de que todo era irreal,
el atentado, las calles, los testigos, la mañana con su clima sabanero y ellos mismos que miraban los despojos
chamuscados del camión con ojos de incredulidad, como
si estuvieran hipnotizados y no terminaran de creerse lo
que estaban contemplando. Fue Claudio el que los sacó
de ese estado de trance:

—Vámonos, pronto va a llegar la Policía.

Caminaron de prisa hasta el Renault 12, que estaba
del otro lado del puente, en el costado sur, y arrancaron.
Claudio le ordenó a Miguel:

—Sigue derecho hasta la calle 26, como acordamos.
Ahí cada cual sabe lo que tiene que hacer.

Miguel aceleró y cruzó velozmente la calle 72 y la calle 68, el parque El Salitre con su coliseo de techo irregular, el semáforo de la calle 53 y el puente de la calle 26.
Luego giró a mano derecha y tomó la oreja para subir
por la calle 26 hacia el Oriente, hacia el centro de la ciudad. Estacionó el Renault cerca de un paradero de buses,
dejó las llaves en la guantera y dijo con la voz agitada por
la emoción:

—Listo. El grupo de Carlos se va a deshacer de este
chéchere.

Claudio les recordó:

—Ahora a escondernos unas buenas semanas. Todo
salió perfecto, mejor de lo previsto.

—Vamos, vamos, dejemos de hablar tanta basura
—dijo Fernando bajándose del auto y tomando enseguida un microbús que anunciaba la ruta Fontibón-Germa-
nia en el vidrio delantero.

Miguel trepó a un bus ejecutivo y desapareció entre la fila de pasajeros que cruzaba la máquina registradora y buscaba asiento inútilmente.

De repente, sintió el abrazo sincero de Claudio y su voz que le decía al oído:

—Samuel, estuviste muy bien, hermano.

—Gracias —no supo qué más decir, seguía ido, despistado, sin poder recuperar aún el control de su voluntad.

—Ahora cuídate mucho. Se nos van a venir encima y hay que estar preparados.

—Sí, claro.

Claudio se subió a una buseta y alcanzó desde una de las ventanillas a decirle adiós con la mano. Samuel se despidió y se quedó parado en la acera con los hombros caídos y la mirada perdida en el horizonte. Sentía las piernas adoloridas y un mareo constante le impedía adueñarse de sí mismo. Se sentó en una barda de cemento, frente a una línea de teléfonos públicos que a esa hora permanecían vacíos. Una soledad devastadora se apoderó de él, una sensación de estar solo en el planeta, incomunicado, a miles de kilómetros de distancia de sus congéneres. Le habría gustado tener un amigo o una amiga para compartir esa melancolía y ese pesar que lo estaban desgarrando. Se había preparado a conciencia, con seriedad, cumpliendo un adiestramiento tenaz y disciplinado. ¿Y todo para qué? ¿Para asistir a dos explosiones que no pasaron ambas de los diez segundos? No, no podía ser, era absurdo. Se había imaginado un intercambio de disparos, inconvenientes en la explosión (la dinamita podía no estallar o estallar un segundo antes o un segundo después, y en ese caso el camión quedaría averiado pero no destrozado) y hasta cabía la posibilidad de que Altamirano

55

decidiera llevar en el último minuto un grupo de refuerzos que viajaría en un segundo vehículo. Pero no, la explosión había sido tan contundente y tan certera que la acción había terminado justo ahí, cuando estaba comenzando. La alta temperatura que produjo el primer estallido había producido el segundo, el del combustible del camión dentro del tanque. Era una locura, las cosas no salían nunca a la perfección. Y, sin embargo, contrariando una ley universal, esta vez se habían cumplido sin errores ni fallas de ninguna clase. El problema era que él no estaba preparado para eso. Vivir a fondo su venganza, lavar el crimen de sus padres y limpiar su pasado implicaba tener a Altamirano al frente, verle el miedo, demorar unos segundos el disparo final y, sobre todo, disfrutar con el hecho de haberlo cazado de la misma forma que lo había hecho él con su familia aquella noche atroz que aún permanecía intacta en su recuerdo. De eso se trataba, para eso se había entrenado tres meses día y noche, sin descanso alguno, en silencio, encerrado como un eremita en la cueva de una montaña. Pero no, nada había salido como él lo había planeado. Y lo peor era no haberle visto la cara a Altamirano, no haberlo olido, no haberlo tenido cerca. En el fondo era como si nada hubiera pasado. De ahí su desasosiego, su confusión, su increíble desconcierto.

La soledad que lo embargó esa mañana no era producto de la distancia que había mantenido con respecto a los demás, no era que él hubiera ido demasiado lejos y que no supiera cómo regresar. No. Era la soledad de quien sabe que está perdiendo su vida y que empieza desde ya a extrañarla.

La organización le había indicado que después del atentado, desde un teléfono público, se comunicara con un número que le habían hecho llegar por correo en una de las misivas que le enviaban con regularidad a la casita del barrio Belén. Una persona de confianza le daría entonces instrucciones. No sabían si dejarlo tranquilo en el mismo refugio o si brindarle más bien un nuevo lugar. Todo dependía de cómo saliera el ataque contra Altamirano y sus subordinados, de si quedaban sobrevivientes que lo reconocieran más tarde, de si lo seguían, de si lo herían (en ese caso necesitarían un médico, drogas, una enfermera) o, si por el contrario, salía ileso del enfrentamiento con los militares y en buenas condiciones de salud. Seguramente los otros tres habían recibido la misma orden, pero ellos, más precavidos, habían preferido largarse y efectuar la llamada desde un lugar seguro. Pero él no se sentía bien, no tenía fuerzas para actuar con inteligencia y determinación. Estaba débil, la cabeza le daba vueltas y un decaimiento progresivo lo estaba hundiendo en una profunda depresión que lo tenía al borde del llanto. Así que decidió llamar desde los teléfonos públicos que estaban en la parte exterior del paradero de buses. Marcó el número que había repetido mil veces en su memoria y una voz femenina contestó al primer timbrazo:

—¿Aló?

—Soy Samuel.

—¿Estás bien?

—¿Constanza? —preguntó reconociendo la voz en medio del aturdimiento.

—Sí, ¿todo salió bien? ¿Estás bien?

—No hubo problemas.

—¿Y los demás?

—Perfecto.

—No sabes la alegría que me da.

—Sí.

—Escucha, hemos decidido cambiarte de lugar. Por seguridad. Dirígete al Centro Nariño, edificio C3, apartamento 1204. No te faltará nada.

—C3, 1204 —repitió él intentando memorizar el número del bloque y del apartamento.

—Exacto. Las llaves están debajo del tapete de la entrada.

—Bien.

—No salgas por ningún motivo.

—Oye, Constanza...

—¿Sí?

—¿Tú me quisiste de verdad?

—Samuel...

—Por favor respóndeme.

Un pito agudo lo obligó a introducir otra moneda en la ranura. Escuchó que Constanza le decía:

—Este no es el momento adecuado para...

—Me importa un carajo todo. Dime si me amaste de verdad, si pensabas en mí, si me extrañabas.

Un silencio invadió la línea telefónica. Él insistió:

—Te lo ruego, dímelo.

Se sentía frágil, a punto de quebrarse por dentro. Necesitaba con urgencia una manifestación de cariño, una voz de aliento, algo que venciera, así fuera fugazmente, la soledad que lo estaba aplastando contra el suelo. La voz de Constanza, en un tono muy bajo, en un susurro, le llegó como un bálsamo enviado desde otro mundo:

—Sí, Samuel, te quise mucho, te adoré. No te imaginas cómo te pensé en Medellín. Y me vine porque quería estar aquí en el momento clave para ayudarte.

Se le aguaron los ojos y se agarró del teléfono con fuerza. Alcanzó a decir:

—Gracias —y apenas pronunció esta palabra se dio cuenta de que nunca la había dicho con tanta sinceridad.

—Qué te pasa —preguntó Constanza preocupada, alarmada.

Volvió a oír el pito en el auricular y esta vez la llamada sí se cortó. Colgó el aparato y se acercó a la calle 26 a tomar un bus que lo dejara cerca de los edificios del Centro Nariño. Se sentía un poco mejor, más tranquilo. Antes de subirse a una buseta divisó el Renault 12 en el mismo sitio donde lo había estacionado Miguel. Carlos y sus hombres no lo habían recogido todavía.

El viaje duró apenas diez minutos. Se bajó frente a la Universidad Nacional y anduvo unas pocas cuadras hacia el Sur. El dolor de cabeza había desaparecido y su cuerpo estaba empezando a recobrar las fuerzas perdidas. Sin embargo, la sensación de fatiga persistía y lo hacía caminar despacio, como si los músculos de sus piernas estuvieran enfermos y atrofiados. La obsesión de estar siendo perseguido o vigilado, que en otras circunstancias lo habría obligado a resguardarse y protegerse, lo tenía, esta vez, sin cuidado. Le daba lo mismo si lo capturaban o no. De todos modos, pasara lo que pasara, en su interior iba creciendo cada vez más la certeza de que su vida no valía un peso y de que la había echado a perder por completo.

Samuel entró por la portería norte del Centro Nariño. El edificio C3 quedaba a mano izquierda, frente a la fábrica de textiles Lafayette. Subió en el viejo ascensor hasta el piso doce y encontró el apartamento 1204 al lado del corredor principal, frente a las escaleras del costado oriental. No alcanzó a abrir la puerta del todo cuando escuchó el timbre del teléfono. Cerró con seguro y levantó la bocina sin decir nada. Era, como lo suponía, la voz de Constanza:

—¿Aló? ¿Estás ahí?

—Sí, soy yo.

—Menos mal, me tenías preocupada —dijo ella emitiendo un largo suspiro.

—Llegué bien.

—¿Cómo te sientes?

—Bien, sí.

—¿Estás herido? ¿Necesitas ayuda?

—No, tranquila, estoy bien.

—Si algo te pasó, dímelo. Estamos preparados para lo que sea.

—No, gracias, no pasó nada.

—Siquiera...

—¿Estás sola?

—En este momento sí... ¿Qué te pasa?... Te noto raro...

—No pasa nada, estoy cansado, eso es todo. He estado mucho tiempo bajo presión.

—Bueno, está bien, no te voy a molestar. En la cocina tienes de todo, hicimos un mercado completo. No te hará falta nada.

—Ok.

—En el clóset tienes ropa limpia. Recogimos tus cosas y te las dejamos ahí en el apartamento. Los libros también. Hasta luego —y Constanza colgó.

Se sentó en el piso y se cogió la cabeza entre las manos. No entendía qué era lo que le estaba pasando. La voz de Constanza (su entonación, su cadencia) le había activado el pasado. Pero no el pasado tormentoso de las evasivas, los silencios, el abandono súbito y la posterior confesión de sus inclinaciones sadomasoquistas, sino el

60

pasado dulce y amoroso lleno de detalles encantadores que habían hecho de su vida un campo fértil para el crecimiento de afectos sólidos y saludables. Porque Constanza no era sólo una, la maligna, arrogante y ególatra muchacha que necesitaba domar su ego a punta de golpes y torturas. No. También existía la otra, la amiga leal que una tarde cualquiera se aparecía con un libro o un casete empacados en papel de regalo con una tarjeta que decía: «Necesito compartir esto contigo». Y era una estupidez preguntarse cuál de las dos era ella, porque la pregunta revelaba la incapacidad para pensar complejidades y contradicciones. Lo maravilloso era precisamente la ambigüedad. Y ahora, arrojado ahí en ese apartamento extraño y desconocido, él quería verla, tenerla cerca, pasarle su mano por el cuello y la nuca, besarla. Su cuerpo reclamaba la presencia de Constanza, y no entendía por qué se encontraba en ese estado en lugar de estar pendiente de las noticias para saber qué versión estaban manejando las autoridades con respecto al ataque que habían sufrido Altamirano y los soldados de la Brigada Especial. Pero no, no quería saber nada de la organización, ni de medidas de seguridad ni de protagonismos políticos con sus consecuentes persecuciones por parte del enemigo. Le importaba un comino su vida y la de sus compañeros. Sólo quería fantasear con la posibilidad de tener a Constanza entre sus brazos y de fugarse con ella lejos, a algún lugar donde los compromisos ideológicos y políticos no los pudieran alcanzar. Se dijo en voz alta:

—Mierda, me estoy chiflando.

Se arrastró como pudo hasta la única habitación y se recostó en la cama sin dejar de apretarse la cabeza con ambas manos. Se imaginó que se ganaba la lotería (50 millones de pesos. No, mejor 60 millones), que le compraba a

Constanza ropa en boutiques especializadas, que se iba con ella a recorrer varias de las islas del Caribe y que a su regreso decidían irse a vivir juntos a una casa magnífica con sauna, jacuzzi y baño turco. Antes de ingresar en el sueño, alcanzó a hacerse un chiste negro: «Que no se me olvide construir una sala de torturas en el sótano».

Se despertó a media noche. Había dormido más de doce horas sin interrupción. Tenía la boca reseca y el hambre lo hacía salivar continuamente. Fue directo a la cocina y se preparó un sándwich de jamón y queso y una limonada. Seguía sintiéndose mareado, como si la realidad fuera gelatinosa, submarina, como si le hubieran inyectado una sopa espesa en el cerebro. La voz y la figura de Constanza seguían ahí, lacerándolo, recordándole su condición de solitario desamparado. Mientras devoraba el sándwich con avidez, pensó en que era una ventaja conocer de cerca al monstruo que habitaba en Constanza, sus tendencias más bajas e instintivas, su zona de sombra. La vieja oración que repetían las madres y las abuelas le pareció de una pericia estupenda: «Señor, líbrame de las aguas mansas, que de las turbias me libro yo». ¿Qué significaba esa plegaria? Que cuando uno entraba en un río de corrientes turbulentas o en un mar de oleaje agitado, sabía desde un comienzo que tenía que esforzarse a fondo, exigirse, ir más allá de sus propias fuerzas si quería sobrevivir. Y esa actitud le impedía descuidarse y lo obligaba a estar atento, lúcido, despierto. En cambio, las aguas que en la superficie parecen tranquilas y reposadas esconden remolinos internos que la mayoría de las veces cogen por sorpresa al bañista y lo halan hacia abajo, hacia hoyos acuáticos donde la falta de aire lo conduce con seguridad hacia la muerte. De igual forma son las personas que se nos acercan. Hay que huir de aquellos seres con apariencia de ingenuidad, crédulos y candorosos. Porque ante ellos bajamos la guardia y nos dejamos engañar sin recelar del peligro que se trama a nuestras espaldas. Es más fácil, se dijo Samuel mentalmente, que nos haga daño una persona buena que una malvada.

Terminó de comer y de beber, se desvistió y se metió en la cama debajo de las cobijas. Sin proponérselo, recordó una breve conversación que había mantenido con Constanza una noche después de hacer el amor. Ella le había preguntado:

—¿Tú sí crees que yo sea la persona indicada para ti?

—Qué tipo de pregunta es ésa... —había dicho él todavía abrazado a su cuerpo—. Uno se siente bien con alguien, eso es todo.

—Si yo fuera hombre, estoy segura de que jamás me metería conmigo. Preferiría una mujer que no tuviera el carácter mío, alguien menos atormentado que yo. ¿Me entiendes?

—Más o menos.

—No te fíes nunca de mí, Samuel. Yo misma me tengo miedo.

Samuel pensó: «Alguien que es capaz de afirmar una idea semejante ya es una persona en la que podemos confiar». Y así había sido: Constanza se había demorado en darle una explicación, en buscarlo, en acudir en su ayuda, pero lo que contaba era que finalmente lo había llamado, le había dicho la verdad y le había pedido su consejo. Y su actitud había sido valiente y decidida. Un temperamento de ese calibre era preferible que el de una muchacha pura y angelical cuya rectitud quizás se debía a mansedumbre y falta de imaginación.

Capítulo IV

UNA VÍCTIMA INESPERADA

Lo peor del atentado a Altamirano no había sido el atentado mismo, sino un error que Samuel había cometido durante la explosión y del cual se enteraría a la mañana siguiente en las noticias de la radio y la televisión: una joven, Araceli Rodríguez, estudiante universitaria de veinte años, esperaba transporte público a pocos metros del carro bomba y había quedado gravemente herida después de la detonación. Su pronóstico médico era reservado y los periodistas informaban que la muchacha había sido internada en la clínica San Pedro Claver. Los noticieros de televisión mostraban una fotografía reciente de la víctima: pelo castaño, ojos cafés y una sonrisa amplia y traviesa. Los padres de Araceli aparecieron frente a las cámaras con los ojos arrasados en lágrimas:

—Yo no entiendo por qué le hicieron esto a mi niña, si ella es la mejor hija del mundo —dijo la madre ahogada en llanto y con la cara convertida en una mueca de dolor.

—Pedimos justicia a las autoridades, que capturen a los responsables y los hagan pagar por lo que hicieron. No puede ser que una atrocidad como ésta vaya a quedar en la impunidad —aseguró el padre controlándose, quitándose las lágrimas de las mejillas con el dorso de la mano derecha.

Los corresponsales de los noticieros también habían buscado a los familiares de los soldados que habían perecido en el atentado, y sus testimonios eran igualmente funestos y desgarradores. Pero a Samuel sólo lo conmovió el caso de la joven. A Altamirano y sus hombres los consideraba enemigos, sacrificios necesarios en medio de una guerra que él no había iniciado y que ya no tenía ningún interés en continuar. No lo alegraban esas muertes, pero tampoco lo afligían. Cuando salieron los parientes de Altamirano asegurando que él era un hombre de bien y que nunca le había hecho mal a nadie, no sintió nada, ni indignación ni desprecio, era como si estuviera viendo un comercial de electrodomésticos. Las frases elogiosas que emitieron sobre Altamirano los ministros y el presidente de la República no lo disgustaron, le pareció estar viendo una misma obra de teatro cuyas distintas adaptaciones se iban ajustando a los avatares del país. Era el guión de siempre, el libreto tantas veces repetido por los hombres del poder. El sistema cerraba filas para proteger a los suyos y por eso había sido tan difícil que los medios de comunicación registraran los comunicados que la organización había distribuido en contra de él. Pero lo que sí lo tenía con un nudo en la garganta era la fotografía de Araceli y la expresión atormentada de sus padres. Revisó mil veces en su memoria el instante exacto de la explosión, y no pudo recordar de ninguna manera la presencia de ella en los alrededores. Sencillamente no la había visto. Sus ojos y los de sus compañeros estaban fijos en el camión militar, y no se dieron cuenta de que allí, a pocos metros, una víctima inocente esperaba el bus con las manos agarrotadas por el frío.

Violando las más elementales normas de seguridad establecidas por la organización, decidió acercarse a la clínica y preguntar por el estado de salud de la joven. Podía hacerse pasar por un compañero de estudios y nadie dudaría de él. Además, la clínica quedaba a pocas cuadras del conjunto de edificios donde se estaba refugiando y no gastaría más de quince minutos en llegar a pie hasta la oficina de información de la institución. Se bañó, se afeitó, se cambió de ropa, salió del apartamento y cruzó las zonas verdes del Centro Nariño en dirección a la avenida de Las Américas. La pequeña excursión le sentó bien y un sol radiante le dio de lleno en el rostro y las manos.

Una funcionaria de la clínica San Pedro Claver lo atendió en el primer piso. Enfermos de diversa índole estaban sentados en una sala de espera. Unos iban acompañados por familiares y amigos, y otros contemplaban el piso en medio de una soledad que agravaba aún más ese aire lúgubre y agobiante que suelen tener los hospitales.

—Buenos días, necesito el número de la habitación de la señorita Araceli Rodríguez, por favor —dijo Samuel con mucha cordialidad y poniendo cara de chico bueno.

—Tiene que dejar un documento de identificación, por favor.

Samuel entregó el carné de la universidad. Sabía que estaba cometiendo una locura, pero al mismo tiempo una acción tan despreocupada y aparentemente ingenua lo protegería de dudas y sospechas. La empleada le entregó una esquela con la palabra *Visitante* impresa en tinta negra y le indicó el piso y el número de la habitación. En las escaleras, además de enfermeras y encargadas de la limpieza, se tropezó con siete u ocho periodistas que buscaban el primer piso de la clínica entre cámaras de televisión, libretas de notas y cables de micrófonos que colgaban de los chalecos entorpeciendo a veces sus movimientos. Agradeció que los medios de comunicación estuvieran ya de salida. Eso favorecería su visita e impediría que algún reportero entrometido se acercara de pronto a hacerle preguntas inoportunas y comprometedoras para su seguridad personal.

Los familiares de Araceli, sus compañeros de estudio y sus amigos de barrio estaban en el corredor saludándose y conversando en voz baja. Samuel se mezcló con ellos pero supo al mismo tiempo cómo guardar una cierta distancia, estaba entre las personas pero ellas no le interesaban. Sólo quería camuflarse para averiguar cómo estaba la joven.

Divisó la cama desde lejos. Araceli estaba en posición horizontal y su madre le estrechaba la mano derecha entre las suyas. Parecía estar bien de salud y recuperándose quizás de los golpes y las magulladuras que había recibido durante la explosión. Una mujer de unos cuarenta y cinco años se hizo muy cerca de Samuel y le comentó:

—Qué horror, en qué país estamos viviendo...

—Sí señora —dijo Samuel sólo por no dar la impresión de alguien desatento y grosero.

—¿Eres amigo de Araceli?

—Compañero de universidad, sí señora.

—Es increíble lo que le hicieron —continuó diciendo la señora—. Qué tendrá en la cabeza una persona que es capaz de cometer una atrocidad como ésta. Yo quisiera saber.

—¿No está fuera de peligro?

—¿No te han dicho nada?

—No señora.

—Tiene la columna rota en cinco partes diferentes y la médula quedó comprometida. Sólo puede mover el cuello y la cabeza.

—¿Qué?

—Así como lo oyes, jovencito. Será una tullida toda la vida.

—¿No tiene posibilidades de mejorar?

—Los médicos no aseguran nada.

Samuel sintió que las piernas no lo iban a sostener y tuvo que apoyarse en la pared para no caer.

—¿Te sientes bien?

—Un poco mareado, no es nada... Hay mucha gente...

—Sal a respirar un rato.

—Sí señora, eso haré.

Intentó atravesar el grupo de conocidos para acercarse a las escaleras, pero una mano lo tomó por el brazo intempestivamente.

—Quíhubo, Samuel.

Era una chica de pelo negro cuyas facciones había visto en alguna parte, pero no recordaba dónde.

—¿No te acuerdas de mí?

—No estoy seguro —la cabeza le daba vueltas y veía los objetos y las personas como si estuviera atrapado en un sueño lento y tortuoso.

—Vimos Antropología Cultural juntos.

—¿El año pasado?

—Sí, con el profesor Gómez, ¿recuerdas?

—Más o menos, sí.

—¿Conocías a Araceli?

No sabía qué decir, le faltaba el aire y sentía las pulsaciones del corazón latiéndole en las sienes. Además, acababa de enterarse de que Araceli estudiaba también en la Universidad Nacional. La coincidencia le pareció una broma de mal gusto por parte del destino, un chiste pesado y siniestro. Dijo por salir del paso:

—Nos vimos un par de veces, sí.

—Qué mala suerte tuvo, es increíble.

—Sí.

Se veía que su nueva interlocutora no sabía nada de sus actividades políticas, pues hablaba con absoluta tranquilidad y sin recelar de él. Más bien parecía admirarlo y estaba aprovechando la oportunidad para acercarse e intimar un poco. Al fin y al cabo Samuel era famoso por su gran talento y por ser uno de los estudiantes más sobresalientes de la Universidad. La chica volvió a hablar:

—¿Tomaste alguna materia con ella?

—No, nos conocimos en la biblioteca.

—Ah sí, se la pasaba metida entre los libros. ¿Leíste algo de lo que publicó en el periódico de la Facultad de Humanidades?

—No.

—Es tan brillante... Y ahora así, enterrada en una cama de por vida...

—Tengo que irme, lo siento —le zumbaban los oídos y sentía la espalda empapada en sudor.

Alcanzó las escaleras, se detuvo en el rellano y tomó aire en largas bocanadas que lo tranquilizaron un poco. Siguió bajando hasta el primer piso, recogió su carné en la oficina de información y salió a la calle con las mejillas descoloridas, con el estómago revuelto, enfermo.

Haciendo un gran esfuerzo logró llegar hasta la portería sur del Centro Nariño, se internó entre los corredores llenos de matas y de árboles gigantescos, buscó un rincón poco transitado y se arrodilló a vomitar poniéndose las manos en el vientre. Luego se echó a llorar sin controlarse, dejando que la masa de culpas y remordimientos que lo atormentaba saliera a flote convertida en lágrimas, gemidos y espasmos que le recorrían el cuerpo de la cabeza a los pies. Hasta ese momento él había sido un individuo frío e indiferente, alguien que protegía su equilibrio emocional del dolor ajeno. Sabía, por supuesto, y en parte ésa era una de las razones de su compromiso político, que un gran porcentaje de la población de su país sufría hambre, necesidades básicas y todas las penas posibles que causaba el desplazamiento forzado en una guerra civil no declarada. Pero era una preocupación intelectual, racional, académica, una preocupación que no afectaba su más íntima psicología. Como la mayoría de los ciudadanos acomodados, había creado una costra de indiferencia que lo protegía del desastre social que estaba aniquilando a los demás. Era de tal dimensión la hecatombe, que la gente terminaba por acostumbrarse, y la miseria y el padecimiento de la otra parte de la población parecían normales, un ingrediente más entre la congestionada realidad nacional. Y ahora, por primera vez, Samuel sintió que su sufrimiento lo conectaba misteriosamente con el sufrimiento de los otros. Su espíritu se abrió y él dejó de aparentar una fuerza y una seguridad que en el fondo no tenía. Se permitió ser débil y frágil, y se dio cuenta de que su caparazón escondía en realidad un ser endeble y delicado. La imagen de Araceli tirada en la cama boca arriba le removió las entrañas y lo hizo abrirse a la creciente desolación del mundo. Además, todo el espectáculo de su aparente fortaleza y seguridad lo había montado sólo con un fin: vengarse. Y cumplido el objetivo, sentía que la escenografía se caía a pedazos y que afloraba ahora su verdadera y sensible personalidad.

Terminó de llorar y se sentó en un banco a descansar antes de subir al apartamento. No dejaba de repetirse mentalmente que lo que había hecho era un crimen, una bajeza de dimensiones incalculables. ¿Cómo era posible que no se hubiera fijado en la peligrosa proximidad de Araceli con respecto a la bomba?

En ésas estaba, recriminándose y culpándose en un monólogo interminable, cuando una ancianita diminuta, arrugada y con el cabello blanco se sentó a su lado en el mismo banco de madera. Lo vio aún con lágrimas en los ojos y le preguntó:

—¿Se le murió alguien, joven?

—Sí señora.

—Lo siento mucho.

—Gracias.

Lo enterneció el tono maternal de la señora. Pensó en esa dulzura encantadora que tienen los niños y los viejos, esa especie de distancia virginal e incorrupta que los hace planear sobre el resto de la humanidad sin contaminarse. En el caso de los niños, se trata de una inocencia anterior a la vida misma. Son como una fuente de agua pura que aún no ha recorrido el trecho suficiente como para ensuciarse y llenarse de porquerías. Y en el caso de los viejos, se dijo Samuel, es la pureza de quien observa desde lejos, la beatitud de quien ya se ha retirado y no participa directamente en la desagradable corrupción de sus congéneres. La malevolencia y la inmoralidad se practican en el medio, en el transcurso de las ambiciones y los apegos inútiles.

Se despidió de la abuelita y regresó al apartamento. Tomó el teléfono y marcó de nuevo el número secreto que le habían dado los de la organización. Reconoció la voz de Constanza:

—¿A la orden?

—Quíhubo, soy yo.

—¿Te pasa algo?

—No, estoy bien.

—No puedes llamar sino en caso de emergencia. Es mejor tener cuidado.

—¿Viste cómo quedó la estudiante que estaba cerca?

—Me enteré por las noticias, sí.

—Estaba en la universidad.

—Eso supe.

—¿No te afecta esto? ¿No te parece el colmo lo que hemos hecho?

—Mira, yo estoy encargada ahora de tu bienestar y tu seguridad. Estoy concentrada en que no te vaya a pasar nada. El resto es secundario.

—El resto es la vida de alguien que estaba empezando a vivir, Constanza, alguien como tú o como yo. ¿Es que no te das cuenta?

—Es peligroso seguir esta conversación.

—No me vengas ahora con tus cuentos de la seguridad. Me importan un culo las órdenes que te hayan dado. Estoy intentando que te despiertes, que abras los ojos y comprendas la monstruosidad que cometimos.

—Hablamos personalmente, yo paso más tarde —y colgó.

Samuel se sintió más abandonado que nunca. Ese silencio de la línea telefónica le pareció una metáfora de su propia soledad. Se recostó en la cama y el cansancio lo venció haciéndolo entrar en un sueño líquido y viscoso.

Vio a sus padres sentados en un restaurante, departiendo felices y dichosos bajo un aguacero con el general Altamirano. Él se acercaba resbalándose a preguntarles qué diablos estaban haciendo en ese lugar comiendo y bebiendo en la misma mesa con el hombre que los había asesinado, y ellos, al verlo, lo señalaron con el dedo y estallaron en carcajadas sonoras que se mezclaron con el ruido de la lluvia al estrellarse contra el suelo. Altamirano lo abrazó y le dijo muy sonriente: «Déjese ya de payasadas y siéntese a comer con nosotros».

Cuando despertó angustiado y nervioso, Constanza estaba en el borde del colchón con una mano sobre su rodilla derecha.

—Ya, tranquilízate, fue sólo un sueño —le dijo con la voz sosegada y serena.

Él se incorporó hasta quedar sentado con la espalda apoyada en la cabecera de la cama. Preguntó:

—Hace cuánto llegaste.

—Acabo de entrar.

—Espérame, voy a tomar un poco de agua.

Se puso de pie, caminó los seis o siete pasos que lo separaban de la cocina, y se sirvió directamente del grifo del lavaplatos un vaso repleto de agua. El líquido lo refrescó y le ahuyentó la desagradable atmósfera de la pesadilla. Regresó a la habitación y se acomodó en el mismo sitio donde estaba. Constanza le habló con afecto, sin recriminarlo, como si fuera una madre protectora dirigiéndose a un hijo díscolo e indisciplinado:

—Samuel, quiero que seas sincero conmigo. ¿Qué es lo que te está pasando? Actúas como si las medidas de seguridad no te importaran. A este paso van a descubrirnos y todos terminaremos muy mal.

—¿Ya saben que fuimos nosotros?

—Las autoridades están perdidas —dijo Constanza negando con la cabeza—. No saben por dónde empezar a investigar. Pero no se quedarán así, tú lo sabes, quieren revancha y tarde o temprano se nos van a echar encima.

—¿Los de prensa ya están trabajando en lo de Altamirano?

—Enviaron varios comunicados a los medios nacionales e internacionales advirtiéndoles sobre los crímenes y las torturas de la Brigada Especial. La opinión pública tiene que saber quiénes eran esos cabrones.

—Entonces todo va bien —afirmó Samuel subiendo los hombros y pensando en qué quería decir ella cuando hablaba de «la opinión pública».

—Todo excepto tú —dijo Constanza mirándolo con cariño y extendiendo un brazo para tocarlo en un gesto afectuoso y fraternal.

Samuel suspiró y se pasó las manos por el cabello.

—No sé qué me está pasando —admitió con la voz temblorosa e insegura.

—Por qué, cuéntame.

—No le encuentro sentido a nada. Quisiera largarme lejos de aquí.

—Puedes estar sufriendo los efectos de un encierro muy prolongado.

—No, no es eso.

—Entonces qué es.

—Ya no me interesa la organización, ni la lucha política ni nada.

—No te creo.

—Me siento a años luz de lo que yo mismo pensaba hace sólo tres días.

—Pero si tú planeaste el golpe, la idea y todos los pormenores son tuyos.

—Lo sé, lo sé, pero qué quieres que haga. Me gustaría estar feliz y satisfecho, pero no puedo. Me parece inútil y equivocado lo que he hecho con mi vida en los últimos años.

—Esto es más grave de lo que yo creía.

—Además está esa chica, Araceli...

—¿Qué pasa con ella?

—Cómo que qué pasa con ella... Está en una cama, Constanza, no se va a poder mover el resto de su vida...

—Fue un accidente, Samuel, no fue intencional.

—Eso no nos exime de nuestra responsabilidad.

—No tienes por qué andar culpándote por algo que fue accidental. Yo también habría preferido que eso no sucediera. Pero qué le vamos a hacer.

—No seas cínica. Tampoco vamos a decir ahora que una joven tirada en una cama no tiene importancia, que es una circunstancia irrelevante.

—En una guerra mueren inocentes, Samuel, siempre, en todas partes, aquí y al otro lado del planeta. Injusto, sí, yo sé, pero es inevitable.

—Eso no justifica lo que hicimos. No podemos ir matando gente por ahí con el argumento de que no lo podemos evitar.

—¿Estás arrepentido?

—Claro, si pudiera regresar el tiempo no haría estallar la bomba. El problema es que ninguno de nosotros vio a esa joven esperando el bus.

—Hablemos claro, Samuel, seamos francos el uno con el otro. Tú eres un gran ideólogo y un buen estratega. Pero creo que no estás preparado para la guerra, para el enfrentamiento con el enemigo. Mírate, estás descompuesto, irreconocible.

—Así es, yo no estoy preparado para ir dejando lisiados y enfermos como si estuviera practicando un deporte inofensivo, como si estuviera jugando tenis o golf. No, Constanza, a mí la gente me interesa, me importa, no quiero volverme un carnicero que intenta disfrazar con argumentos lo que en el fondo no es más que barbarie y salvajismo.

—No estás listo para...

—Déjame terminar —la interrumpió Samuel—. Esa muchacha que está en la clínica habría podido ser tu hermana, tu prima, tu mamá. Es más, habrías podido ser tú misma. ¿Por qué no vas a la clínica y la visitas? Imagínate que eres tú la que va a quedar como un maniquí de por vida. A ver si entiendes de qué te estoy hablando.

—Deja de exagerar.

—Visítala y te haces una idea por ti misma.

—Dejemos el dramatismo y vamos a lo concreto: ¿piensas retirarte así como así?

—No voy a seguir en esto.

—Pero no puedes hacerlo todavía. Donde te capturen nos jodimos todos.

—Puedo esperar.

—Qué desilusión. Te imaginé más fuerte.

—La debilidad es seguir ahí.

—Creí que tenías un compromiso más radical y sincero con la organización.

—Pues no lo tengo, ya te enteraste.

—Estás pasando por un ataque de romanticismo cursi.

—Llámalo como quieras.

—Y supongo que asumirás las consecuencias de tu decisión.

—Qué consecuencias.

77

—La organización no puede dejarte ir como si no hubiera pasado nada.

—De qué estás hablando.

—Tienes información que compromete a mucha gente. Si el enemigo tiene acceso a ella...

—¿Qué estás insinuando?

—Tú sabes bien lo que estoy diciendo. Tú mismo lo has explicado con respecto a otros.

—El hecho de que yo me salga no significa que me quiera pasar al bando contrario.

—Ese no es el punto. El problema es que no puedes andar por las calles como si fueras un turista ingenuo.

—Qué van a hacer entonces, ¿me van a matar?

—Yo sólo te estoy recordando las reglas que tú mismo has implantado y defendido.

Samuel se puso de pie, se acercó a la ventana de la habitación y contempló la ciudad sintiendo un cansancio y una saturación que le daban la impresión de estar acorralado, como si fuera un ratón recorriendo un laberinto en un experimento de laboratorio. Dijo con hastío:

—Hagan lo que les dé la gana.

—Yo sólo...

—Vete, Constanza. Déjame en paz.

—Sólo quería advertirte.

—Ya entendí. Ahora puedes irte.

Ella salió y Samuel escuchó el ruido de la puerta principal al cerrarse con un golpe seco y violento. Se quedó inmóvil con los codos apoyados en el alféizar de la ventana. La ciudad, allá abajo, tenía la apariencia de un espacio agradable e inofensivo. Las ventajas de la distancia.

Dos días más tarde, en las horas de la noche, volvió a la clínica y, haciéndose pasar por un compañero de Araceli (en realidad dio a entender, con un falso pudor, que era su novio), logró llegar hasta la habitación donde ella permanecía en su invariable posición horizontal. Los visitantes ya se habían ido y la paciente estaba con la cama ligeramente levantada, observando la oscuridad del cielo a través de un vidrio sucio y lleno de polvo. A un metro de la cama había un sofá con una almohada y dos cobijas de lana esperando a la persona que montaba guardia toda la noche al lado de la enferma. La madre estaría cenando en alguna cafetería cercana a la clínica. En el aire flotaba una desolación inmensa, una pesadumbre tan grande que no supo cómo comportarse, se sentía fuera de lugar, incómodo, afectado de manera directa por la imagen de esa Araceli herida que tenía sus ojos puestos en la espesura de la noche. Tragó saliva y habló con la voz quebrada por la emoción:

—Hola.

Ella giró la cabeza y lo vio allí, parado en el umbral y con las manos metidas en los bolsillos de su chaqueta. Lo reconoció enseguida:

—Tú eres Samuel Sotomayor.

—No pensé que supieras mi nombre.

—Eres muy conocido en la universidad. Estuve en una clase contigo.

—Quería saludarte.

—Gracias.

—Vine antes pero había mucha gente.

—Me imagino. Entra, siéntate. Mi madre salió a comer.

La cordialidad de la joven lo desconcertó. Se expresaba sin odio, tranquila, dueña de sí. Dio dos pasos y se quedó de pie con su cadera rozando el armazón metálico de la cama.

—Lamento mucho lo que te sucedió.

79

—Gracias.

—Espero que puedas recuperarte.

—No hay que perder la esperanza.

Se sentía avanzando por una selva tupida y peligrosa, sin armas y sin brújula. No iba a ser fácil atravesarla y llegar sano y salvo al otro lado. Preguntó en un tono que era casi una súplica:

—¿Puedo hacer algo por ti?

Araceli lo miró de una manera diferente, como si lo taladrara buscando el verdadero origen de esas palabras, como si le estuviera abriendo el cerebro para descubrir sus motivos más íntimos y secretos.

—A qué te refieres.

—No sé, si se te ofrece algo, si puedo serte útil en alguna cosa...

Los ojos de ella permanecieron afilados, como si fueran cuchillos entrando en las zonas más recónditas de su conciencia. Había en esas pupilas un brillo inusual, un destello que reflejaba una poderosa intuición.

—¿Por qué has venido? —preguntó ella manteniendo un tono amable pero introduciendo ahora una dureza fría, glacial.

—Ya te dije, quisiera saber en qué puedo ayudarte.

Hubo unos segundos de silencio que a Samuel le parecieron años enteros. Esos ojos seguían fijos en él, hurgándolo, escarbando en su interior.

—Tú y yo no somos amigos, ni me conoces siquiera. Jamás cruzaste en la universidad un saludo conmigo. No quiero ser grosera, pero no sé por qué te presentas aquí a esta hora, cuando no hay nadie, a decirme si puedes hacer algo por mí.

—Me dolió mucho lo que te pasó.

—Por qué.

Los ojos se transformaron entonces en alfileres, en delgadas agujas que estaban perforando su pensamiento.

—Es mejor que me vaya.

—No, espera, respóndeme, te lo ruego... A qué has venido...

Una depresión instantánea se apoderó de él. Las piernas le dolían, tenía dificultad para respirar y un desvanecimiento general lo hizo apoyarse en la estructura metálica de la cama.

—Mírame, Samuel, no puedo moverme, no valgo nada... Tú sabes quiénes pusieron la bomba... Dímelo, por favor...

Quería irse, pero las piernas no le respondían. Habría querido morirse en ese preciso momento.

—Déjame confesarte un secreto, Samuel... Yo hacía escultura en mi casa, en el patio, en la parte de atrás... Toda la vida he soñado con ser una gran artista... Ahora mírame, mi vida no vale un peso... Mis sueños se fueron a la basura... Te lo ruego, dime quiénes me hicieron esto...

Samuel no pudo más, se arrodilló y empezó a llorar en ataques incontenibles que le cortaban la respiración y lo dejaban con el semblante enrojecido y deformado. No dijo nada. Sólo lloró y lloró mientras Araceli lo contemplaba con el cuerpo paralizado y perfectamente inmóvil.

—Dime lo que sabes, por favor...

—No puedo —balbuceó al fin Samuel sin dejar de llorar.

—Sí puedes, no permitas que lo que me hicieron se quede así, impune. Ayúdame a hacer justicia —Araceli levantaba la cabeza y lo miraba con los ojos desorbitados, como si fueran a salirse de sus cuencas.

—Perdóname, no puedo.

—Sólo dime quiénes fueron, Samuel, por favor.

Él recobró fuerzas, se puso de pie, se limpió las lágrimas que bañaban sus mejillas, caminó unos pasos y se quedó unos segundos parado en el umbral contemplando la cara trastornada de su víctima.

—Yo no te sirvo.

—Tú sabes algo. Por favor, dímelo.

—No puedo, créeme, no puedo.

Se dio la vuelta y alcanzó el corredor. Un grito estremeció todo el piso:

—¡Samueeeel!

Corrió hasta las escaleras, descendió por ellas saltando los escalones de dos en dos, recobró el carné de la Universidad en la oficina de información y salió a la calle con la frente bañada en sudor. Cruzó la carrera 30 y se dirigió al Centro Nariño con paso ágil y apresurado, como si una multitud enardecida estuviera pisándole los talones. Ya no lloraba, ahora sentía unos deseos incontrolables de estar lejos, de fugarse, de escaparse de sí mismo y de los otros. Era una sensación extraña: lo que había hecho le producía asco, por supuesto, pero la situación de los demás (incluida la de Araceli) no le parecía distinta de la suya. Sus compinches, idiotas útiles que se creían Robin Hood luchando por unos ideales inexistentes, y que a la menor orden se convertirían en carniceros y se lanzarían sobre él para despedazarlo y descuartizarlo; Constanza, fiel a los preceptos de una organización que para ella significaba el útero materno, el pequeño reducto donde se sentía segura y abrigada, como esas monjas que no saben cómo comportarse cuando tienen que atravesar las puertas del convento; Araceli, la princesa candorosa que hacía sentir mal a cualquiera que se le acercara, el chivo expiatorio que cargaba consigo la maldad del mundo; y él mismo, el cobarde, endeble, miedoso y pusilánime muchachito que se había cagado en la vida de los demás sólo para realizar una venganza personal, egoísta y mezquina. Todo daba asco. Era preciso largarse de esa cloaca cuyos humores putrefactos empezaban ya a aniquilarlo y enfermarlo.

Esa misma noche empacó dos mudas de ropa, sus objetos personales y dos o tres libros que no había terminado de leer, y se fue a vivir al Hotel Roma, un edificio antiguo y modesto en el centro de la ciudad. Cambió de cuenta de ahorros (cerró la vieja y abrió una nueva) y notó que tenía el dinero suficiente para sostenerse cuatro o cinco semanas sin pedirle ayuda a nadie. Después ya se las arreglaría. Se registró con una documentación falsa que siempre llevaba consigo a nombre de Efraín Espitia López, una identidad que por seguridad sólo conocía él y nadie más. El conserje le otorgó la habitación 305 y apenas ingresó en ella Samuel tuvo la certeza de encontrarse en el lugar correcto. Eso era lo que estaba buscando: una guarida en la que fuera posible encerrarse a leer durante varias horas sin ser interrumpido, como cuando era niño, y de la que pudiera entrar y salir a la hora que le diera la gana sin dar explicaciones. Pensaba abandonar por un tiempo a Samuel Sotomayor, dejarlo solo, vacío, sin mente, sin pasado, sin presente y sin futuro. Ya se ocuparía de él más tarde. Por lo pronto, lo fundamental era desaparecerlo y suprimirle toda existencia posible. Y así lo hizo.

La culpa y el hastío lo habían llevado a eliminarse, a suprimirse en un acto súbito y repentino. Porque lo que había hecho Samuel en realidad había sido suicidarse. Otra persona habría entrado al apartamento y se habría volado la tapa de los sesos. Él había preferido, como si fuera un ilusionista experto en un espectáculo de presti-digitación, esfumarse, evaporarse, y aparecer en otra par-te con otro nombre y otra identidad. Era una praxis de fuga y de camuflaje, el viejo truco de inventar un perso-naje que terminaba siendo más real y más auténtico que el actor mismo. La metamorfosis del ser, el antiguo pro-ceso alquímico de la transubstanciación.

Capítulo v

EFRAÍN ESPITIA

No bien se inscribió en el hotel con el nuevo nombre, Samuel se dio cuenta de que al cambiar las palabras que lo definían estaba cambiando también la esencia que hasta entonces lo había constituido. No es lo mismo llamarse Alonso Quijano que llevar consigo un nombre de guerrero: don Quijote de la Mancha. Y no es igual llamarse Aldonza Lorenzo y ser una maritornes robusta y bigotuda, que llevar un nombre de princesa poético y encantador: Dulcinea del Toboso. Las palabras cambian el mundo, lo transforman. Por eso Samuel, apenas firmó con su nueva identidad (no la había tenido que usar hasta el momento), supo que un nuevo hombre acababa de nacer. El problema era que Efraín Espitia no sonaba altisonante o distinguido, sino como un nombre vulgar, y parecía ordinario. Sin embargo, con el paso de los días, ese carácter popular y ramplón le pareció una ventaja, un punto a favor de ese individuo que poco a poco iría tomando posesión de su cuerpo. Porque Samuel Sotomayor era un nombre sonoro, elegante y aristocrático, y no era conveniente dar un giro de trescientos sesenta grados para quedar ubicado en el mismo punto. La gracia era girar ciento ochenta grados y quedar mirando al otro lado. Y eso era Efraín Espitia: el antípoda de Samuel Sotomayor.

A la semana de estar en el Hotel Roma, la transformación comenzó a hacerse visible. Se cortó el cabello a ras, casi calvo, y se dejó crecer el candado y las patillas. Su paso se hizo lento, rítmico, se bamboleaba perezosamente mientras observaba las vitrinas de los almacenes en sus largas caminatas por el centro de la ciudad. Compró dos pantalones anchos y sueltos en los costados, y dos camisas de colores alegres que lo hacían ver como un tipo descomplicado y optimista. En el restaurante donde almorzaba decidió conversar con los meseros, preguntarles por sus familias, y una que otra vez coqueteó con la muchacha de la caja registradora llamándola «linda» y «mi amor». Los conserjes del hotel lo saludaban con deferencia y amabilidad, y él regresaba esas muestras de simpatía haciéndoles bromas y regalándoles un pedazo de pastel o un paquete de cigarrillos. En resumidas cuentas, Efraín Espitia era un tipo ligero y divertido al que le gustaba la gente y que se negaba a andar por la calle con la cara de plomo con la que andaban los demás. Le gustaba silbar con las manos en los bolsillos y pronto descubrió una afición maravillosa: la música caribeña, la salsa, el reggae. Memorizó canciones de Héctor Lavoe, de Willie Colón y de Bob Marley; solía tararear sus melodías y susurrar sus letras cuando iba por la carrera Séptima merodeando sin rumbo fijo las tiendas y las cafeterías. Y lo más importante, no sintió angustia de ser perseguido ni por sus antiguos cómplices ni por los agentes de seguridad del Estado, pues ya no era él, había logrado escapar de sí para encarnar en otro hombre que en realidad tenía muy poco o nada que ver con Samuel Sotomayor.

Una noche decidió incluso arriesgarse e invitar a bailar a la mesera del restaurante:

—Hola, corazón, cómo te va —le dijo mientras pagaba la comida.

—Cómo estás —le contestó la chica sonriéndole.

—Podría estar mejor.

—¿Te pasa algo?

—Necesito pedirte un consejo.

—¿A mí?

—Mira, es un caso raro. Hay una mujer que me gusta mucho. Yo creo que también le gusto pero no estoy seguro. Y me muero por irme a bailar con ella una noche y no sé cómo decírselo.

—¿Y adónde la llevarías? —le preguntó ella siguiéndole el juego.

—A un buen sitio, a una discoteca bien romántica donde ella se sienta feliz.

—¿Y te gusta en serio o sólo por pasar el rato?

—Para pasar el rato hay miles de mujeres. Ella es distinta, es una mujer que vale la pena.

—Y qué tal que esté casada y con hijos...

—No creo, no tiene cara de tener marido.

—Pues espérala un día a la salida de su trabajo y pregúntale a ver qué te dice.

—Buena idea.

—Invítala con decencia, sin presionarla, y luego pórtate bien con ella.

—Sí, creo que va a dar buen resultado.

—No sé, inténtalo y después me cuentas cómo te fue.

—Le voy a preguntar hoy mismo.

—¿Sí?

—No quiero que se me adelante otro. Si lo pienso mucho, de pronto me la quitan.

—¿Así de bonita es?

—No te imaginas —le dijo él con picardía y le hizo un guiño con el ojo izquierdo—. Gracias por el consejo.

—No hay de qué.

A las nueve y media de la noche, cuando la joven estaba saliendo del restaurante, la abordó con una expresión de complicidad en el rostro. A manera de saludo, ella le dijo:

—Pensé que ibas a dejarme metida.

—Cómo se te ocurre.

—Hasta llegué a creer que sí estabas hablando de otra y no de mí.

—No tengo tanta imaginación.

Se rieron y caminaron juntos por la avenida 19 hacia el Oriente.

—¿Cómo te llamas? —preguntó ella.

—Efraín, ¿y tú?

—Rosario.

—Qué lindo nombre.

—Gracias.

Arriba de la carrera Tercera, en el barrio Germania, entraron en una discoteca, una casa antigua remodelada donde los estudiantes de las universidades del centro de Bogotá se reunían a escuchar los mejores grupos de salsa y de reggae. Pidieron media botella de ron y se dedicaron a bailar en las dos pistas que tenía el establecimiento; en medio de bromas y juegos, fueron creando entre ambos unos sentimientos de camaradería que los tomaron por sorpresa, pues ninguno había imaginado que pudieran llegar a entenderse así de bien, como si llevaran años cultivando una amistad sólida e inquebrantable.

Samuel se dio cuenta de que cada vez le gustaba más el temperamento de Efraín, su abierta disposición a la jovialidad y el buen humor. Porque Efraín era hondo y alegre, lúcido y bromista, reflexivo y chistoso. Se movía por la pista con gracia, deslizando los pies con soltura y marcando el ritmo hábilmente en las acompasadas flexiones de las rodillas. Rosario le preguntó:

—¿Dónde aprendiste a bailar así?

—Eso se lleva en la sangre. Mis padres son costeños.

—De qué ciudad.

—Cartageneros.

—¿Viven allá todavía?

—En la ciudad antigua, imagínate. Todavía se van de rumba como si fueran unos quinceañeros.

—Qué rico, me gustaría envejecer así.

—La costa es otro país. La República Independiente del Caribe, como dicen por ahí.

—Pero tú no tienes acento.

—Lo perdí aquí, en el interior.

La canción se terminó y se sentaron a la mesa a refrescar la garganta con un trago de ron. Efraín iba conquistándose cada vez más a sí mismo, inventándose, materializándose, acoplándose a ese cuerpo que tenía que instruir y adiestrar para que expresara a cabalidad su justa identidad. Y no lo estaba haciendo nada mal. Esos músculos siempre tensos y endurecidos por la rigidez mental de Samuel Sotomayor se iban ablandando y empezaban ya a estar relajados y flexibles, los ojos se habían vuelto más expresivos y la voz había adquirido un tono melodioso y seductor.

La velada fue todo un éxito. Efraín acompañó a Rosario hasta su casa en el barrio Egipto, a pocas cuadras de donde se encontraban, y se despidió de ella con un beso fugaz en la boca.

—¿Vamos a comer mañana? —le preguntó mientras se daba la vuelta y caminaba los primeros pasos para alejarse.

—¿Me recoges a la misma hora?

—Listo —alcanzó a decir antes de voltear la esquina.

Esa noche, de regreso al Hotel Roma por las calles oscuras y fantasmales, se dijo que era preciso encontrar un empleo y ganarse la vida con un trabajo que lo reconfortara y lo animara. No tenía títulos universitarios ni documentos que confirmaran que Efraín Espitia había cursado estudios superiores, pero sabía perfectamente dónde adquirirlos. Pensó: «En Bogotá están los mejores falsificadores del planeta. Nuestro talento para la ilegalidad es difícil de superar». Así que invertiría buena parte del dinero que le quedaba en conseguir un diploma de una universidad decente y se dedicaría después a buscar un trabajo agradable que lo hiciera sentir bien. En cuanto al pasado de Samuel Sotomayor, no quiso saber nada de él y se desentendió de las investigaciones que se estaban llevando a cabo para hallar a los responsables del crimen del general Altamirano y de los demás soldados de la Brigada Especial. Lo tenía sin cuidado lo que sucediera. Al fin y al cabo esos acontecimientos pertenecían a la vida de otro hombre y no tenían que ver con él en absoluto.

A la mañana siguiente se levantó temprano y se dirigió al sector de San Victorino, la zona de los comercios populares en el corazón de la ciudad. Conocía bien esas calles y se movió por los recovecos y los pasadizos internos del mercado con propiedad, caminando con seguridad, haciendo alarde de su firmeza y su confianza en sí mismo. Entró en un almacén de camisas que quedaba en el sótano de un edificio ruinoso y descascarado, y le dijo a un enano que atendía el negocio con cara de malas pulgas:

—Dile al negro Miranda que necesito hablar con él.

—Quién lo solicita.

—Un viejo amigo.

—Eso dicen todos. Él necesita nombres.

—El Avispón Verde.

—Un momento.

El pigmeo se perdió por una puerta falsa atiborrada de camisas con diseños multicolores, y reapareció unos instantes después.

—Siga —dijo haciéndose a un lado para dejarle a Efraín el paso libre.

Entró en una pequeña sala en la cual un hombre lo esperaba detrás de un escritorio metálico que estaba inclinado hacia uno de los costados. Hacía más de un año que no visitaba al negro Miranda, un antiguo tipógrafo que vivía de falsificar documentos y pasaportes cuya calidad era tan sorprendente que los mismos agentes de seguridad del aeropuerto no dudaban de su autenticidad. El olor a humedad y a encierro lo hizo llevarse la mano a la nariz para no estornudar.

—Hace rato que no venías por aquí, karateca. Estás muy cambiado —le dijo un mastodonte de un metro con noventa y seis centímetros desde un asiento que se confundía con la penumbra del lugar, un gigante gordo con expresión de niño cariacontecido y regañado.

—Hola, negro, me alegro de verte.

El mamut no se levantó de su asiento ni le tendió la mano. Recordó que alguna vez lo había visto en los torneos de karate de los interuniversitarios nacionales, muy

pendiente de todos los competidores en la primera fila.
Más tarde el gorila le había dicho que era un gran aficio-
nado a las artes marciales y que había leído las enseñan-
zas completas del maestro Kazudo. El negro Miranda,
pensó Samuel, era el típico malhechor infantil que abun-
daba en los bajos fondos de las organizaciones delictivas.

—Para qué soy bueno.

—Necesito un diploma universitario —dijo Efraín
de pie frente a él.

—Qué universidad.

—No sé todavía.

—Qué profesión.

Pensó de pronto en lo único que no lo había defrau-
dado a lo largo de su vida, los libros, y dijo sin dudarlo:

—Maestro de literatura. Qué universidad me reco-
miendas.

—Cualquiera, da igual. Puedo hacerte uno de la Dis-
trital, de la Nacional o de la Javeriana.

—El que sea más rápido.

—El que elijas te lo puedo tener para mañana a esta
misma hora.

—¿El precio es el mismo?

—En efectivo, tú sabes las reglas. Qué universidad
prefieres.

—Decídelo tú.

—Bien. A nombre de quién.

—Efraín Espitia. Aquí tengo la cédula.

Le entregó el documento de identidad y el tipógrafo
copió los datos en una libreta raída y sucia. Le regresó la
cédula de ciudadanía y le dijo:

—Mañana te tengo el diploma y el acta de grado.

—Gracias.

—¿Sigues practicando?

—Más o menos.

Hubo un silencio prolongado. El elefante afirmó:

—Ten cuidado.

—Por qué.

—Están desesperados buscándote.

—Yo ya no soy yo.

—Le han hecho preguntas a todo el mundo. Están obsesionados contigo.

—Si tú no me delatas, no me encontrarán.

—Me ofendes. Yo soy de la vieja guardia. Tengo principios.

—Lo sé, por eso acudí a ti. No sé cómo agradecerte.

—Pagándome el dinero completo y en efectivo.

—No has cambiado nada.

—Asegúrate de que nadie te esté siguiendo. No quiero problemas.

—Ok.

Salió del escondrijo del negro Miranda por la misma puerta que conducía al almacén de camisas. El enano estaba haciendo guardia en la puerta del negocio para estar seguro de que no iban a presentarse visitas inoportunas. Efraín se despidió de él:

—Hasta luego.

El liliputiense cerró los ojos e inclinó la cabeza, como si estuviera en una corte japonesa y no en un agujero clandestino y maloliente.

En las horas de la noche invitó a Rosario a comer. Estuvo atento y cariñoso con ella, y descubrió, en el reverso de su cordialidad, unas ganas urgentes de acostarse con ella. Hacía rato que no tenía un cuerpo de mujer entre sus brazos y sentía que esa carencia le estaba haciendo daño, lo maltrataba y lo conducía a esa especie de ensimismamiento epidérmico que tanto se parecía a la muerte, como si su piel, al exiliarse de todo contacto con el sexo opuesto, hubiera perdido su sensibilidad y su capacidad para reconocer el entorno. Porque, según lo había comprobado él mismo, el deseo llama al deseo y la carne llama a la carne. Mientras más contactos eróticos tenía, más sensual se volvía y más dispuesto estaba a nuevas aventuras y nuevas relaciones. En cambio, si suprimía todo acercamiento sexual, su cuerpo entraba en un adormecimiento que se parecía mucho a la incapacidad y la atrofia, como si se olvidara de sí mismo y no recordara su importancia y sus funciones más primarias.

Así que, a la salida del restaurante, él preguntó con seguridad:

—¿Quieres ir un rato al hotel?

Necesitaba despertarse, despabilarse y quitarse de encima esa atmósfera de pesadez que se cernía sobre él. Estar con Rosario era una forma de reconquistar la trascendente alegría de una caricia.

—¿Me estás haciendo una propuesta?

Los autos pasaban a media marcha por la carrera Séptima. Un grupo de seguidores de Krishna, con sus cabezas rapadas y sus túnicas anaranjadas, bailaban al ritmo de sus tambores y sus panderetas en la esquina de la plaza de las Nieves. La luz de las farolas públicas caía sobre el cabello de Rosario y lo hacía resplandecer iluminándole la expresión del rostro y de sus escondidos ojos negros.

—¿Estás oyendo lo que te digo? —reclamó ella subiendo un poco el tono de su voz.

—Sí, sí.

—¿Me estás invitando a tu cuarto para acostarte conmigo?

Efraín abrió los brazos y sonrió:

94

—Lo dices de una manera...

—Seamos francos.

—Como quieras —tomó aire y la miró de frente—: te deseo mucho, sí, desde ayer te tengo metida en la cabeza.

—Y si te acuestas conmigo y después no quieres saber nada de mí…

—Tú me inspiras sexo y afecto —le pasó la mano por el cabello y le dio un beso en la mejilla.

—Es que me han herido muchas veces —dijo ella como disculpándose, como queriendo justificar su actitud prevenida y dudosa.

—Tranquila, déjalo así. Ven y te acompaño a coger la buseta —y la tomó del brazo para empezar a caminar hacia la avenida 19.

—No, espera, yo no quiero perderte —afirmó ella plantándose en su lugar—. Tú también me gustas mucho, Efraín —lo haló hacia su cuerpo y lo besó en la boca con pasión, haciendo chocar la lengua de ella contra la suya— No quiero que te vayas a alejar de mí —susurró entre un beso y otro.

—No lo haré.

—Vamos, llévame al hotel —siguió besándolo en la comisura de los labios.

—No tienes que hacer algo que no quieres.

—Qué, ¿tenías un plan B?

—Cómo así.

—¿Pensabas encamarte con otra?

—Y dale con el cuento.

—Entonces llévame.

Cruzaron la recepción del hotel entre besos y abrazos, entrelazados, sin importarles lo que pudieran pensar de ellos el conserje y los demás huéspedes que se tropezaron en el camino. La pasión de Rosario lo llenó de júbilo. Hasta ese momento él había estado con cuatro mujeres (todas ellas compañeras de estudios, de clase media, recatadas, tímidas), y la última había sido Constanza, que en la cama era dominante, controladora, masculina. Por eso la ternura desinhibida de Rosario lo colmó de gozo y de satisfacción. Sus frases eran dulces y ardientes, entre vulgares y candorosas, pronunciadas entre jadeos y respiraciones entrecortadas que fueron produciendo a su alrededor un ámbito de inocencia concupiscente y lujuriosa.

Rosario abrió las piernas y le dijo:

—Ven, mi amor, dame eso sólo a mí.

Efraín se puso el condón y le pareció extraordinario sentir los sucesivos orgasmos de Rosario, esas embestidas que la hacían temblar como si fuertes convulsiones volcánicas estuvieran recorriendo las zonas internas de su cuerpo. Finalmente eyaculó y ella lo abrazó con fuerza, apretándolo, estrujándolo como si fueran los protagonistas de un combate y él se encontrara a punto de rendirse llevando la peor parte.

Efraín se retiró, se quitó el condón y lo arrojó en el retrete. Luego se acomodó al lado de Rosario y se tapó los genitales con una parte del cubrecama. Entonces sintió un alborozo descomunal que se apoderaba de todo su ser: chorros y chorros de energía que lo inundaban desde la espina dorsal, como si alguien le estuviera inyectando combustible a través de la columna vertebral. Era una euforia que hacía vibrar sus nervios y sus músculos, celular, atómica, una alegría física y palpable que ascendía desde el cóccix hasta las concavidades más diminutas de la materia cerebral. Besó a Rosario en la boca y le dijo:

—Dónde estuviste escondida todos estos años.

—Esperándote —contestó ella apoyando la cabeza en su pecho.

Cerca de la media noche la acompañó hasta la casa y se regresó primero por la carrera Tercera y luego descendió por la calle 19 hacia el Occidente. Hacía frío y los recicladores de basura arrastraban sus carros de madera buscando cartones, plásticos, metales y papeles de todas las especies. La alegría continuaba irrigando su cuerpo y lo mantenía atento, lúcido, como si hubiera ingerido una dosis alta de algún estimulante. Le costó trabajo quedarse quieto en la cama, cerrar los ojos y dormirse.

En las horas de la mañana, recién abierta la corporación de ahorro, retiró el dinero para el negro Miranda y se dirigió al viejo almacén de camisas escondido en uno de los sótanos del sector de San Victorino. Estuvo paranoico revisando cualquier movimiento extraño que se realizara a sus espaldas, pero al final se dio cuenta de que nadie lo perseguía: la gente iba para sus trabajos o se desplazaba de aquí para allá sin prestarle a él ninguna importancia.

El negro Miranda, seguramente como medida de precaución, le había dejado los documentos con el enano ordenados en un sobre de manila. Efraín le entregó la plata con la mano izquierda y recogió el sobre con la derecha. Fue una transacción rápida y fugaz. La voz infantil que salía de ese cuerpo diminuto le advirtió mientras le señalaba el fondo del corredor:

—Salga por la puerta roja, por las bodegas.

—¿Hay problemas?

—Por si acaso.

—Gracias. Saludos para el negro.

Acató el consejo del enano y alcanzó en pocos segundos la zona donde varios camiones provenientes de distintos departamentos descargaban mercancía en cajas de cartón y en bolsas plásticas enormes que los dependientes iban clasificando según un orden que sólo ellos entendían.

Los nuevos documentos dieron un giro a la vida de Efraín. A los pocos días consiguió trabajo como profesor de literatura en un colegio de clase media. Le pagaban un sueldo suficiente como para tomar en arriendo un apartamento modesto y para cubrir sus necesidades básicas. Se encargaría de los estudiantes de quinto y sexto de bachillerato. Le encantaba la idea de iniciar a los muchachos en los misterios de los libros. No quería dictar la típica clase de literatura en la que un profesor ególatra y narcisista hace alarde de erudición vacía y aburrida, no, deseaba transmitirles a sus futuros discípulos una pasión, embrujarlos, hechizarlos mediante el sortilegio de unas cuantas hojas de papel. Se saltaría el reglamento y elegiría las obras él mismo, así estaría seguro de que serían temáticas excitantes y apasionantes para esos adolescentes que no habían alcanzado aún su mayoría de edad.

En la biblioteca pública Luis Ángel Arango pasó horas consultando y estudiando autores, movimientos literarios y contextos históricos. Llegó a una conclusión: armaría un solo programa inicialmente y lo dictaría tanto en un curso como en el otro. Como no tenía experiencia en la materia, no se sentía capacitado para manejar ideas y conceptos en dos programas separados. Cuando los muchachos de quinto pasaran a sexto, diseñaría para ellos una nueva lista de autores y de obras con un enfoque diferente. Con la ventaja de que el curso de quinto quedaría ya preparado y dictado.

Al cabo de unos días decidió que lo mejor para un joven de dieciséis o diecisiete años sería adentrarse en la novela de aventuras. Y pensó: «¿Quién no ha soñado a esa edad con llegar a un puerto sólo con una maleta y embarcarse como grumete para recorrer lejanos países y tierras desconocidas? ¿Cuántas veces nos hemos quedado mirando a través de una ventana y, en silencio, sin que nadie sospeche lo que nos pasa, hemos visto a nuestros compañeros de embarcación luchando desesperados para evitar el naufragio? ¿No es común, acaso, en esas comidas aburridas en las cuales tanto los invitados como los anfitriones aparentan ser lo que no son, o en la sala de espera de un consultorio médico u odontológico, entrecerrar los ojos e imaginar de repente que vamos atravesando el Sahara en medio de una caravana de beduinos?». Sí, a Efraín no le cabía la menor duda: la literatura de viajes apelaba a ese secreto aventurero que cada quien lleva agazapado en la parte baja del barco, y que sobrevive como puede sin dejarse pillar por los demás hombres de la tripulación.

Una noche, a la salida de la biblioteca, se encontró con Rosario, entraron en una cafetería a tomarse un café y él le preguntó:

—¿Has pensado alguna vez en irte bien lejos y en cambiar la vida que has llevado?

—Cómo así...

—Lo que te digo: ¿nunca has pensado en largarte a un lugar donde nadie te conozca?

Rosario inhaló con fuerza y contestó:

—Muchas veces.

—¿Y qué es lo que imaginas?

—La vida en el restaurante es una mierda: hay que barrer, limpiar, lavar loza, es un infierno.

—¿Y?

—Cuando nadie me está vigilando entro al baño, cierro la puerta y me siento sobre el inodoro a soñar unos instantes. Eso me da ánimos para seguir.

—¿Y qué es lo que sueñas?

—Te vas a burlar de mí.

—No, te juro que no.

—Es que una vez vi un programa de televisión sobre una ciudad antigua de España que se llama La Alhambra.

—Sí, es muy famosa, en Granada.

—Pues me imagino con un vestido de flores caminando cogida de la mano con un hombre muy bello en una noche de luna llena —dijo ella con prisa, como si temiera la burla o el escarnio.

—Es una linda imagen.

—¿Sí te gusta?

—Claro que sí.

Efraín pensó: «Todos somos así, Rosario, necesitamos encerrarnos en el baño dos minutos para luego poder soportar la miserable vida que hemos elegido».

—¿Y tú? —preguntó ella expectante.

—Qué.

—¿Te gustaría cambiar tu vida y convertirte en otra persona?

—Sí, creo que sí —dijo Efraín mirando hacia fuera a través de los ventanales de la cafetería.

—Qué te gustaría ser.

Sin cambiar la actitud contemplativa que lo tenía mirando hacia la calle, él respondió:

—En mis sueños siempre hay agua, ríos, lagos, océanos, y me imagino navegando en esas aguas, siento la frescura del viento, la inmensidad del horizonte, el cielo arriba limpio, atravesado por bandadas de pájaros que me acompañan en la aventura.

—Qué bonito.

—Lo peor de todo es que no sé navegar.

—Un día lo harás, seguro.

Efraín miró a Rosario y se compadeció de ella: era una mujer afectuosa y dulce aplastada por un trabajo que la condenaba a esclavizarse. Era difícil que pudiera sacar la cabeza y vislumbrar un futuro mejor y menos pavoroso. El sistema estaba diseñado para que una persona como ella se hundiera cada vez más en la estrechez y la penuria. No, no la dejarían respirar. Jamás tendría un vestido de flores, el príncipe azul sería un comerciante alcohólico y barrigón, y el palacio morisco se convertiría en una helada sala de partos de un arruinado hospital de caridad.

—¿Por qué me miras así?

—Cómo.

—No sé, con tristeza.

—Estaba pensando...

—En qué.

—En tu vestido, en La Alhambra, y en que me gustaría ser ese hombre que te coge de la mano bajo la luz de la luna.

—Qué tierno eres.

Rosario se inclinó hacia él y le estampó un beso en la mejilla. Efraín tuvo una visión repentina: la vio en un muelle marítimo diciéndole adiós con la mano mientras él, con un zurrón de peregrino a la espalda, muy cerca de la amurada de estribor de un barco comercial, se despedía de ella para siempre.

Pocos días más tarde entró al colegio y el rector lo presentó ante los jóvenes y los demás profesores de bachillerato. Se sintió cómodo y tranquilo con la situación. La clase inaugural fue la presentación del programa y la introducción al primer escritor que leerían los estudiantes:

Julio Verne. Efraín habló con fuerza, entusiasmado, convencido de verdad de la importancia que tenían los libros que muy pronto comenzarían a leer. Caminaba por entre las filas de pupitres, gesticulaba y manoteaba como esos actores que bajan del escenario para aproximarse e intimar con un público que los escucha y los observa entre atónito y asustado. Cuando les presentó una somera biografía de Verne se recostó en la mesa del profesor y afinó la voz como si estuviera comunicándoles un secreto que nadie más debía conocer.

El salón estaba en silencio, los estudiantes lo miraban concentrados en sus palabras, atrapados en el relato, inmóviles en sus pupitres. Efraín se sintió más seguro y continuó hablando en el mismo tono confidencial. Nadie se movió ni se distrajo mirando por la ventana, haciendo dibujitos en los cuadernos o consultando el reloj de pulso. La atención denotaba la expectativa del curso. Efraín siguió su disertación metido cada vez más en un tema que lo sobrecogía, caminando de un extremo a otro del salón.

Al final, regresó a la mesa del profesor y se sentó en una de sus esquinas. Levantó el brazo y aseguró con una sonrisa de satisfacción:

—*Viaje al centro de la Tierra* es la primera novela que vamos a leer en este curso, muchachos. Viajaremos al centro de la Tierra y nos meteremos con los protagonistas en una aventura increíble que nos llevará hacia lo desconocido. Sobre este relato han escrito filósofos y pensadores tan importantes como Roland Barthes, Michel Foucault y Michel Serres. Como lo afirman varios de ellos, la novela tiene un fuerte componente iniciático y mítico. Eso quiero que lo tengan presente durante toda su lectura: se trata de descender a las profundidades para forjar en ese fuego interno una nueva conciencia, una nueva identidad. Quien no se adentra en los abismos del inconsciente no sabe nada de sí mismo ni del mundo. Axel es el héroe que asciende purificado de los precipicios interiores.

Los jóvenes abrieron los cuadernos y apuntaron en ellos los consejos de Efraín. Él cerró la clase con el mismo tono confidencial con el que había empezado:

—Será tal la importancia de Verne, muchachos, que, camino hacia la Antártida, el almirante Byrd escribió: «Es Julio Verne el que me empuja hacia el polo». Y Yuri Gagarin, el primer cosmonauta ruso, declaró: «Leyendo a Julio Verne fue cuando tomé la decisión de consagrar mi vida a la astronáutica». Recuerden siempre esto que escribió uno de sus biógrafos: «No en vano una de las montañas de la cara oculta de la luna se llama monte Julio Verne».

Efraín midió el efecto de sus últimas palabras: el curso estaba inmóvil, impresionado, nadie se atrevía a romper ese silencio sagrado que había invadido de un costado a otro el salón de clase. Estaba satisfecho de la forma como sus nuevos discípulos habían recibido la primera charla, porque más que información quería transmitirles una obsesión, el convencimiento radical y definitivo de que la literatura y el arte son expresiones de una vida rebosante y repleta de energía. Era preciso que los muchachos sintieran esa plenitud, de lo contrario la materia se convertiría en una asignatura más y no llegarían a comprender jamás la infinita riqueza que estaba esperándolos detrás de cada pieza literaria.

Sonó la campana y Efraín se despidió de sus estudiantes:

—Bueno, muchachos, empiecen a leer cuanto antes. Chao. Nos vemos la próxima clase.

Salieron en estampida a disfrutar los pocos minutos del recreo. Él se quedó recostado en la mesa del profesor y, como un acto inconsciente, recordó una breve conversación que había mantenido alguna vez con su madre. Ella había entrado en la casa con unos libros bajo el brazo y unos bosquejos enrollados dentro de un tubo plástico que llevaba colgado en la espalda. Él le había preguntado:

—¿Cómo te fue hoy?

—Divinamente —había respondido ella radiante mientras descargaba el tubo y los libros en un asiento de la sala.

—¿Dictaste en la universidad?

—Mi primera clase, imagínate.

—¿Y cómo te sentiste?

—De maravilla, mi amor.

—¿Te gustó?

—Ven, siéntate aquí —le dijo señalándole el brazo del sillón donde ella estaba sentada con los pies levantados sobre la mesita de la sala.

—Se nota que estás feliz —aseguró él obedeciéndole y haciéndose a su lado.

—Quiero confesarte un secreto.

—Dime.

—Hoy descubrí que tengo vocación para enseñar, que me gusta, que disfruto estar ahí parada hablando de lo que yo más quiero en el mundo.

—Se te nota.

—Hay gente que dicta clase sólo por la plata, por ganarse unos pesos. Habrían podido hacer cualquier otra cosa en la vida.

—Así son los de mi colegio.

—Pero hay otros que llevan la vocación en la sangre. Yo tenía miedo de no servir para esto. Pero me llevé una sorpresa, ¿sabes? Estaba ahí delante de todos esos rostros jóvenes y comencé a hablar, y a hablar, y a hablar, y cuanto más lo hacía, más contenta me ponía. Qué alegría saber que puedo compartir con otros lo que a mí tanto me gusta.

Efraín sacudió la cabeza y espantó los recuerdos de su memoria: ese pasado ya no era el suyo, pertenecía a un hombre que había desaparecido y no era conveniente a esas alturas ponerse a invocar fantasmas que iban a traerle problemas e incomodidades. Él sólo tenía presente. Cogió sus libros y salió también a disfrutar de los minutos del recreo.

Sin afanes y con mucha cautela, en las semanas siguientes consiguió a buen precio un apartamento en La Macarena, a una cuadra del barrio La Perseverancia, compró una mesa de madera, dos asientos, un colchón, sábanas, cobijas y un televisor de catorce pulgadas. Rosario llegó una mañana con una vajilla, dos ollas, una sartén y un juego de cubiertos barato que tenía aún pegada la etiqueta que anunciaba a los clientes la atractiva palabra «Rebajas». Efraín le preguntó:

—¿Cuánto te debo por las compras?

—Deja así, es un regalo.

—Rosario...

—Tenía unos ahorros guardados.

No hubo manera de convencerla. Ella insistió en que podía hacerle un regalo, no había nada de malo en ello. Efraín pensó entonces en la magnífica generosidad de la gente pobre, en ese desparpajo feliz con el que se desprendían de su dinero y de sus pertenencias. Se dijo:

«Una persona adinerada siempre calcula sus dádivas, las mide, las dosifica para no verse afectado en sus finanzas. El rico sólo da o presta aquello que le sobra. El pobre es desprendido, desapegado, de ahí quizás que la mayoría de las religiones vean en la humildad y la escasez el origen de una suma de virtudes».

—Yo sé la dificultad con la que te ganas tu plata —le dijo él dándole un abrazo y besándola en la boca.

Y así, lentamente, sin darse cuenta y sin sentir miedo de que lo descubrieran, como si Samuel se tratara de un primo lejano y no de él mismo, Efraín fue construyendo una vida, unos afectos, una forma de ser, una personalidad. Entre semana se entregaba de lleno a sus estudiantes, y dedicaba los sábados y domingos a ir a cine con Rosario, a invitarla a bailar y a pasar con ella ratos interminables en el colchón, haciendo el amor, retozando, durmiendo o viendo televisión. Se volvió costumbre que ella llegara el viernes en la noche con una muda de ropa y que se fuera muy temprano el lunes en la mañana a trabajar al restaurante. Vivía en una pensión y, por lo tanto, no tenía que dar explicaciones a parientes desconfiados o entrometidos.

Sin embargo, por debajo de esa aparente tranquilidad, en los subterráneos más escondidos de su inconsciente, sueños atroces comenzaron a visitarlo y se encargaron de no dejarlo olvidar de su antigua identidad. Pesadillas recurrentes en las cuales aparecían sus padres antes de ser sacrificados, y Altamirano con la cara chamuscada y ensangrentada, y Constanza amarrada en una sala de torturas llamándolo por su nombre y pidiéndole auxilio, lo dejaban sentado con la respiración entrecortada y la frente y las sienes bañadas en sudor. Su acostumbrado buen humor fue desapareciendo como una columna de humo que se desvanece en el aire, y gestos de preocupación y de angustia se tomaron las líneas de su rostro como si alguien, escondido en las telarañas del pasado, estuviera empeñado en hacerle recordar la remota existencia de Samuel Sotomayor.

Para empeorar la situación, una noche, después del noticiero, una programadora de televisión pasó un reportaje sobre el crimen del general Altamirano y de los demás soldados de la Brigada Especial, sobre Araceli Rodríguez y sus declaraciones a la Policía denunciando que había un estudiante de sociología que conocía a los directamente implicados en el atentado, un joven brillante y talentoso de la Universidad Nacional que estaba desaparecido: Samuel Sotomayor. Efraín quiso cambiar de canal pero Rosario, concentrada en el programa, se mantuvo firme con el control del aparato en la mano. Él se levantó, se metió en el baño y corrió la cortina plástica para pegarse un duchazo. Pero no pudo dejar de oír las voces de los entrevistados y de los periodistas nombrándolo una y otra vez. Rosario no sospechó nada y la foto de Samuel que aparecía en la pantalla (cabello largo, afeitado, delgado) no le evocó en absoluto los rasgos del hombre que tenía a su lado (cabello a ras, casi calvo, patillas, candado, corpulento). Sólo comentó en el corte de comerciales:

—Qué horror. Debería existir la pena de muerte para antisociales de esa calaña.

Otro día, subiendo las escaleras que conducen a las Torres del Parque, una joven le gritó desde la puerta sur de la plaza de toros:

—¡Samuel!

Su primera reacción fue voltearse, pero enseguida se dio cuenta del error cometido y siguió caminando hacia la carrera Quinta. Sin embargo, ella lo alcanzó y volvió a llamarlo por su nombre:

—¡Samuel, espera!

Se dio media vuelta y ella lo encaró:

—Soy Graciela, estuvimos juntos todo el primer año en la Nacional, ¿te acuerdas?

—Nunca he estudiado en la Nacional.

—Estás cambiadísimo pero eres tú.

—Se equivoca de persona, lo siento.

—No puede ser.

—Me llamo Efraín.

—El parecido es increíble.

—Lo siento.

Continuó subiendo las escaleras y sintió la mirada incrédula de la estudiante clavada en sus espaldas. Se aseguró de que no lo estuviera siguiendo y se perdió por las calles de La Macarena hasta llegar a la entrada de su edificio.

No era fácil convertirse en otro. Había huellas que eran difíciles de borrar, rastros que permanecían intactos en una memoria somática inconsciente, como la forma de agarrar una taza de café, de lavarse los dientes, la predilección por ciertas comidas e incluso el funcionamiento interno del cuerpo mismo: la tendencia a la taquicardia, la acidez estomacal, los dolores en la región lumbar. Un hombre se negaba a desaparecer así, de la noche a la mañana.

Más o menos a los cinco meses de estar juntos, después de unas pesadillas que se habían repetido insistentemente, una madrugada Rosario se levantó y fue hasta la cocina a traerle un vaso de agua. Se arrodilló a su lado y lo miró contemplativa. Le preguntó con una sombra de duda en la voz:

—¿Tú qué hacías antes?

—A qué viene esa pregunta.

—Respóndeme, qué es lo que estás ocultando.

—Nada.

—Efraín, dime la verdad, te lo ruego.

—Tengo pesadillas, eso es todo.

—No me digas mentiras.

—¿Por qué me miras así?

—Estabas hablando de un general Altamirano y de una compañera tuya de universidad que se llama Constanza.

—Yo no tengo la culpa de soñar cosas raras.

—Altamirano es el del programa del otro día. Lo mataron con una bomba.

—Seguramente mezclé lo de la televisión con recuerdos de mi pasado, no sé.

—Tú no viste el programa, te metiste en el baño y después no quisiste que yo te comentara nada sobre él.

—No te inventes dramas, Rosario, por favor.

—No confías en mí.

Son pesadillas, no le demos a esto una importancia que no tiene.

Ella se echó para atrás y quedó sentada con la espalda recostada en la pared. Las tenues luces del amanecer se filtraban por los resquicios de la cortina. Le dijo con la voz seca y cortante:

—Hablaste también de Araceli Rodríguez. Es la muchacha que quedó lisiada luego del atentado.

Efraín se quedó callado, con la cabeza agachada. Ella continuó:

—Le pedías perdón, le suplicabas que te perdonara.

Un silencio amargo se instaló entre los dos. Él dejó el vaso vacío sobre el piso. Rosario le preguntó:

—¿Quién eres tú?

Efraín prefirió esquivar una interrogación semejante. Eran palabras fuertes, difíciles de contestar, incendiarias, que quemaban. El mensaje que propagaban era dañino y peligroso. Lo mejor era no meterse con ellas, dejarlas pasar.

—No empieces a imaginarte cosas que no son. No sé por qué sueño todo eso.

—No soporto el engaño, Efraín, no puedo estar cerca de una persona que sé que me está mintiendo.

—Te estoy diciendo la verdad.

—Yo sé que no.

Ella se levantó y buscó sus prendas de vestir con cierta premura, como si tuviera una cita importante y temiera llegar tarde a ella.

—¿Qué estás haciendo?

—Me voy.

—Pero por qué.

—No quiero estar con alguien que no confía en mí.

Se vistió con rapidez y se recogió el cabello con un caucho de colores.

—No te vayas así, por favor.

—Sabes cómo detenerme.

—Yo te quiero.

—No es suficiente, necesito que tengas confianza en mí.

—Estás inventando algo que no existe en la realidad.

Sacó del clóset una mochila y metió en ella la ropa que le pertenecía y sus objetos personales. Miró a Efraín a los ojos y le dijo:

—Yo trabajo en un restaurante, sí, pero no soy estúpida. Para pedir perdón de esa forma es porque hiciste algo terrible, algo que te atormenta y que no te deja vivir en paz. Arréglatelas con tu conciencia.

Salió del apartamento sin dar más explicaciones. Efraín sintió que era una ficción y que Samuel Sotomayor empezaba a ganar la posibilidad de retornar. Su nueva personalidad se estaba desmoronando y permitía vislumbrar los cimientos de una vieja edificación que empezaba ya a sobresalir entre las ruinas y los escombros. Samuel se las había ingeniado para no desaparecer del todo y había resucitado desde las oscuras catacumbas donde lo habían enterrado. Y ese cadáver maloliente venido del más allá había obligado a Rosario a salir corriendo.

Pensó: «Podemos cambiar de nombre y de apariencia, de gustos y de ideas, pero ¿somos capaces de inventar otro inconsciente?».

CAPÍTULO VI

UN MAPA SENSORIAL

Lo primero que notó Efraín Espitia después de la partida de Rosario, a los dos minutos de salir ella del apartamento, fue que su cuerpo se puso tenso y duro, como si
le hubieran inyectado cemento de la cabeza a los pies. Su
acostumbrado desparpajo desapareció y no supo en un
primer momento qué era lo que le estaba sucediendo.
Intentó ponerse de pie pero no pudo, las piernas le dolían y las rodillas se negaban a sostenerlo. Pensó que era
un ataque de nervios y procuró calmarse y tomar aire
por la nariz para luego exhalarlo por la boca. Pasados
unos segundos reconoció los síntomas y supo de qué se
trataba: era el retorno de Samuel Sotomayor, estaba experimentando la encarnación de ese espectro que había
decidido regresar desde un pasado sombrío y fantasmal.
Pero Efraín Espitia tampoco pensaba desalojar tan fácil-
mente el cuerpo que le había dado sustancia y realidad, y
se negó a ser expulsado a esa zona de vacío que lo condenaba a la ficción y la inmaterialidad. Fue un enfrentamiento brutal que terminó en tablas. Les tocó a ambos

compartir el mismo espacio y coexistir sin pelearse ni hacerse daño.

Samuel tenía miedo de que Rosario acudiera a la Policía para denunciar sus sospechas, pero la joven, al principio, no llegó a tanto y su manera de hacerse sentir fue manteniéndose a raya sin visitarlo ni llamarlo por teléfono. Él no tenía fondos suficientes como para volver a cambiar de vida y dependía por completo del sueldo que se ganaba Efraín como profesor de literatura, así que lo más astuto era esperar y dejar que el otro trabajara en paz.

Mientras tanto, los estudiantes del colegio estaban cada día más entusiasmados con la clase de literatura. *Viaje al centro de la Tierra* los había dejado perplejos y con ganas de devorarse el siguiente autor. Efraín sopesó bien las posibilidades y, después de pensarlo varias veces, eligió *El corazón de las tinieblas,* de Joseph Conrad. Les explicó que estos protagonistas son personajes cuyo verdadero recorrido termina realizándose en una geografía interna, son viajes de autoconocimiento, hacia dentro, de apropiación de una identidad desconocida.

Sentado en la mesa del profesor y manoteando en el aire, como si fuera un actor representando el papel de un capitán de navío frente a un público adolescente, les contó que Conrad había sido marinero hasta 1893, y que la novela rememoraba su estancia en el Congo en 1889. El escritor relataba un viaje en el espacio y en el tiempo: en la medida en que el barco internaba más en la selva de un continente oscuro y peligroso, más se alejaba de la civilización en un movimiento sinuoso (el del río Congo) que lo arrastraba hacia atrás, hacia los albores de la Prehistoria.

Sonó la campana y Efraín les dijo a sus alumnos:

—Comiencen a leer hoy mismo. Una magnífica aventura los espera. Además, después de conversar sobre el libro vamos a ver *Apocalipsis Now*, una película basada en esta novela con música de *The Doors*.

Descendió de la mesa y dio por terminada la clase. Mientras los jóvenes salían a disfrutar del recreo, escuchó frases sueltas que lo reafirmaron en la idea de que su trabajo verdaderamente valía la pena:

—Esta clase se me pasa rapidísimo —le decía un estudiante a otro con un grueso emparedado en la mano.

—No veo la hora de empezar a leer —afirmaba uno de los de la primera fila levantando la tapa de su pupitre para guardar allí su cuaderno y sus libros de literatura.

—En esta materia me transporto, me voy, es como si me fugara del colegio —le comentaba un muchacho con la cara llena de acné a su mejor amigo.

Efraín suspiró y pensó para sus adentros: «Estas palabras que escucho son mi auténtico salario».

Sin embargo, cuando llegaba en las horas de la tarde a su apartamento, un agotamiento extremo lo dejaba rendido. Era un estado de adormecimiento momentáneo. Y al despertar sentía que Samuel había tomado posesión de todo su ser. La plenitud y el regocijo desaparecían por completo, y en su lugar se instalaban una aflicción y una pesadumbre que lo hundían en una melancolía demasiado abrumadora como para intentar superarla o esquivarla. Pero había algo inteligente en ese estado de ánimo: percibía las cosas y los objetos como si fueran seres vivos, como si cierta actividad invisible los gobernara en silencio y sin llamar la atención. Era tanto el agobio que sentía de ser humano, que, de alguna manera no muy clara ni para él mismo, se fugaba del peso de esa responsabilidad y entablaba comunicación con un mundo donde no existía la culpa ni el remordimiento: el mundo de los elementos, cuya pureza e integridad estaban fuera de cualquier discusión.

Una noche recordó otro breve diálogo que había mantenido con su madre. Estaban en el taller de ella, entre pinceles, bastidores y óleos de diversos colores.

—¿No es aburrido pintar un jarrón? —había preguntado él sentado en el piso y rodeado por bocetos, trapos manchados de colores y frascos de trementina.

—Para pintar el jarrón tienes que comprenderlo primero.

—Cómo así.

—Estar allá, del otro lado, meterte dentro de él.

—No entiendo.

—Para pintar el jarrón tengo que convertirme en él, sentir el material del que está hecho, oír lo que él oye, percibir el entorno desde su tamaño y sus formas.

—No pensé que fuera tan difícil.

—Uno aprende a hacerlo, Samuel, eso es todo.

—Pero cómo.

La pintora dejó el pincel por unos minutos y se acercó a su hijo con una actitud entre maternal y pedagógica.

—Relaja los músculos del cuerpo —le ordenó agarrándole los brazos y haciéndole en ellos unos masajes que hicieron sonreír al pequeño.

—Me haces cosquillas.

—Suelta el cuerpo, déjalo descansar.

—¿Así? —Samuel parecía un espantapájaros en la mitad de una campiña primaveral.

—Ahora deja caer los brazos y la cabeza.

—Yo nunca te he visto hacer todo esto.

—Lo hago cuando estoy pintando sola y tú estás en el colegio.

—¿Sí?

—Relaja también las piernas.

—Cómo hago.

—Estíralas —le indicó ella acariciándolo con delicadeza.

—Se siente bien, me gusta.

—Respira profundo. Toma aire por la nariz y exhala lentamente por la boca. Relaja todo el cuerpo y escucha el ruido de tu respiración.

—Tengo la nariz un poco tapada.

—A ver, no hables tanto y concéntrate.

Hubo unos segundos de silencio.

—Estás tenso en el cuello —dijo ella pasando la mano por la piel del pequeño y hundiéndole sus dedos con suavidad en la nuca y los huesos de la clavícula.

—¿Ya?

—Cierra los ojos, abandona todo, olvídate de ti. Eres sólo tu respiración, el aire que entra y sale de tus pulmones.

Sin que él se diera cuenta, su madre estiró el brazo, agarró el jarrón y se lo puso sobre el pecho.

—Abrázalo, tócalo, familiarízate con él —no era una orden sino un consejo murmurado con ternura en un tono de voz cariñoso y confidencial.

—Está frío.

—Memoriza esa temperatura, las curvas, el grosor, el material, el tamaño.

—¿Puedo meter la mano?

—Claro, tócalo por dentro.

—Está más frío en el fondo.

—Abre los ojos y míralo bien, detállalo, observa con cuidado los colores de los bordes, de la base, no dejes que nada se te escape.

—Pesa mucho.

—Eso, siéntelo, pálpalo, contémplalo, huélelo, acércalo a la oreja y escucha sus sonidos internos, como si fuera un caracol que acabas de recoger en la playa.

El niño estaba encantado con el juego. Echado boca arriba en el piso con el jarrón abrazado encima de él, parecía un joven amante en el centro de un ritual propiciatorio. La pintora siguió hablando, pero esta vez su voz adquirió una entonación más rotunda y menos complaciente:

—Ahora haz de cuenta que tú no eres tú y que te has transformado en el jarrón. Te desvaneces, te esfumas en el aire y comienzas a tomar su forma, a adquirir sus tonos y matices, y te quedas ahí, inmóvil en un rincón esperando que alguien se acerque para echarte un poco de agua y depositar dentro de ti un ramo de flores.

Y sí, el juego había funcionado: no tenía piernas ni brazos, estaba rígido y duro, compacto, redondo, hueco, y nadie se acordaba de él.

El recuerdo de ese episodio junto a su madre lo llenó de nostalgia. Ella le había enseñado un misterio y le había transmitido un conocimiento secreto: las personas no están separadas del mundo que las circunda, no son una entidad sola y abandonada, una partícula errante atrapada en su miseria infinitesimal. No. Son una conexión, un puente, una vía de tránsito que atraviesa la materia entera. Y ahí radica su grandeza.

De alguna manera extraña e incomprensible, y sin una razón aparente, Samuel sintió por primera vez los deseos de escribir. Pero no quería desahogarse ni nada parecido, no tenía la más mínima intención de referirse a sí mismo. Lo que anhelaba era encontrar unas palabras que no expresaran un yo, unas palabras que le permitieran reflexionar y hablar desde afuera, desde los objetos, desde las cosas, un estar permanentemente fuera de sí. Pensó: «Penetrar el mundo gracias a la extinción de una subjetividad torpe y deslucida. Quizás la máxima aventura sea escapar de la identidad, huir y ponerse de parte de lo exterior».

Antes de empezar cualquier redacción decidió investigar y leer sobre expresiones artísticas que intentaran, en efecto, anular la presencia del autor. Hacia las seis de la tarde se iba caminando por la carrera Quinta hasta el barrio La Candelaria y se refugiaba en la biblioteca Luis Ángel Arango en medio de estudiantes universitarios que iban y venían entre los ficheros y las salas de lectura. Más de una vez temió encontrarse con los alumnos de Efraín, pero por fortuna eso no sucedió: solicitaba los libros y se atrincheraba en un rincón donde era difícil verle la cara y reconocerlo. Con el paso de los días le fue cogiendo un inmenso cariño a la biblioteca. Su silencio conventual y la actitud respetuosa y prudente de los lectores lo hacían sentirse cómodo, descansado, como si se encontrara tomando unas vacaciones en un hotel retirado y sin turistas. Era difícil salir de allí y enfrentar el ruido y la agresividad de las calles bogotanas.

Una noche, entre libro y libro, encontró un párrafo de Densho Quintero que lo deslumbró:

En el vacío y en el silencio están las posibilidades máximas de la creación. Un ejemplo de esto es la obra musical de John Cage. Antes de su encuentro con el zen en el año de 1942, para Cage componer se convertía en algo cada vez más utópico, pues pensaba que su obra estaba demasiado cargada de sí mismo. A partir de un ciclo de conferencias dictadas por el profesor Suzuki, comprendió que para que sus obras dejaran de ser autobiográficas era necesario abandonar la intención de crear. Ya no podía seguir siendo autor, puesto que su personalidad impediría que la música se manifestara por ella misma. *4'33" de silencio* es una de las obras que ilustra la nueva postura de Cage. En esta composición en tres tiempos para piano, estrenada en 1952 en el Maverick Concert Hall de Woodstock, el intérprete David Tudor se sentó en silencio frente al piano y marcó cada nuevo movimiento mediante el gesto de cerrar y abrir la tapa del instrumento. La música estaba formada por los sonidos del instante, por las reacciones y la respiración del público, por la lluvia o el canto de los pájaros. Era la manifestación de un instante perfecto renovándose a cada segundo.

La lectura de estas líneas lo dejó atónito, era como si las hubiera escrito él mismo. Lo que lo tenía inquieto e impaciente era que quería escribir con una perspectiva distinta de la de un escritor tradicional. Compró un cuaderno de tapas duras amarillas y trazó un título provisional: *Están hablando*. Se refería, claro está, a los objetos, a las cosas que enviaban mensajes y dialogaban entre ellas sin que nadie se diera cuenta de su lenguaje, por la razón obvia de que ninguno se había tomado nunca el trabajo de aprender y practicar esa lengua inicial y primigenia. Su madre le había transmitido la capacidad de metamorfosearse, y él no había olvidado esa enseñanza. Lo contrario, cuanto más pasaban los días y las semanas, más necesitado estaba de entrar en comunicación con la materia que conformaba el mundo. Porque el juego de las transformaciones no había terminado con la escena del jarrón. A lo largo de los meses siguientes él había sido mesa, silla, cenicero, lámpara, vasija, lápiz, tenedor y un sinfín de utensilios más que iba encontrando por la casa en sus interminables caminatas de niño curioso y entrometido. Era tal su pasión por ese juego que, todos los días después del colegio, solía cerrar su habitación con seguro y ejercitarse en la alteración de sus percepciones. Cuando lo veía cabizbajo y callado, su madre le preguntaba:

—¿Qué fuiste hoy?

Y él podía responder «hoja de papel» o «edredón», y entonces ambos se echaban a reír.

Y mientras Samuel recordaba ciertos momentos claves de su infancia y compraba el cuaderno de tapas amarillas, Efraín seguía empeñado en seducir a sus estudiantes con aventureros y navegantes que les mostraran una vida que no se limitaba a hacer dinero, casarse, tener hijos y morir. *El corazón de las tinieblas* y la posterior proyección de la película *Apocalipsis Now* los había sumergido en el horror de una selva que conduce a los hombres a niveles de salvajismo y de barbarie difíciles de imaginar en medio de una cotidianidad civilizada y citadina. La jungla era un llamado, un grito, un aullido en el cual reconocíamos nuestras propias fauces abiertas y ansiosas de sangre. Sin embargo, no había hablado aún del personaje arquetípico de la literatura de viajes y aventuras: Ulises. Así que, improvisando en el programa un tema que no estaba contemplado, llegó un día a clase decidido a contarles a sus alumnos quién había sido este hombre y cuál era su importancia para que miles de años más tarde aún se lo continuara recordando y evocando. Enfatizó en una actitud que definía al personaje desde el comienzo de la novela: Ulises no deseaba conquistar tierras ni descubrir imperios. Su aventura consistía en abrir nuevas puertas en su conocimiento de la realidad. Circe, Calipso, Polifemo o las hermosas sirenas eran seres míticos, sí, pero eran también pasadizos, túneles, puentes que le permitían acceder al mundo y a sí mismo de una forma insospechada e inédita. Eso era lo que hacía al «fecundo en ardides y secretos» un hombre distinto de los demás.

Como era costumbre ya en la clase de literatura, sus discípulos lo escucharon muy atentos y concentrados. Antes de salir al recreo, Efraín alcanzó a anunciarles el autor y el libro que leerían a continuación:

—Bueno, muchachos, vamos a meternos en una novela que sucede en La Guajira, una novela escrita en 1930 por un hombre que cambiaría para siempre el destino de nuestra literatura: Eduardo Zalamea Borda. El título es *4 años a bordo de mí mismo* y espero que empiecen a leer cuanto antes. Sé que les gustará.

Esa misma tarde, a la salida del colegio, uno de los estudiantes de sexto bachillerato se le acercó tímidamente:

—Profe, ¿puedo hablar con usted un minuto?

Efraín lo reconoció enseguida: su nombre era Alfonso Aristizábal y no lo habría podido confundir con otro porque tanto sus opiniones en clase como sus trabajos hechos en casa delataban a un joven avanzado y con un nivel muy por encima del que tenían sus demás compañeros. Era de estatura mediana, de rasgos bruscos y afilados, silencioso e introspectivo.

—Claro, Alfonso, dime.

—¿Usted escribe, profe?

—No te entiendo.

—¿Usted quiere ser escritor, lo ha intentado?

—No, Alfonso, a mí lo que me gusta es enseñar. No creo que tenga talento como creador.

—¿Pero nunca tuvo dudas?

—No, nunca. Me gusta hablar de libros y de autores que admiro.

—Sí, eso se le nota, profe.

Alfonso tenía una mochila colgada de su hombro derecho y bajaba la cabeza con regularidad para esconder su retraimiento y su vacilación. Preguntó con la mirada hundida en el piso:

—¿Y cómo sabe uno si tiene talento o no?

—Depende, Alfonso, no es tan fácil descubrirlo.

—Pero habrá indicios, supongo.

—Los poetas por lo general son precoces. Hay otros que arrancan a escribir a los treinta o a los cuarenta. No hay reglas fijas. Te podría nombrar incluso escritores que empezaron a los sesenta.

—¿Los narradores no pueden ser precoces, profe?

—Para escribir una novela necesitas haber vivido a fondo, haber acumulado experiencias y tener una verdad atragantada para gritársela a la humanidad.

—Sí, entiendo, profe.

—¿Por qué me lo preguntas?

—No sé...

—¿Has escrito algo?

Alfonso dudó, movió los pies en señal de nerviosismo, y al fin, con la voz convertida en un hilo, admitió:

—Unos cuentos, sí.

—Es un género perfecto para comenzar a calentar la mano.

—Son pocos, nada del otro mundo.

—Si quieres una opinión, dámelos y yo los leo.

—¿No le molesta, profe?

—Será un placer leerte.

Alfonso extrajo de su mochila una carpeta de cartulina y se la entregó a Efraín con las manos temblorosas.

—Gracias, profe.

—Apenas termine, yo te aviso.

—No hay afán... Y gracias por su tiempo...

Se dio media vuelta y se alejó con las manos metidas en los bolsillos de una gabardina sucia y pasada de moda. Efraín lo vio perderse por entre las calles aledañas al colegio y apretó la carpeta cariñosamente contra su pecho.

Por esos mismos días Samuel se dedicó a recorrer la ciudad de un barrio a otro sin un plan preconcebido. Sólo quería familiarizarse con una metrópoli que apenas conocía en un veinte o treinta por ciento. Se subía a un autobús que cumpliera una ruta cualquiera, al azar, y se bajaba en un paradero alejado y desconocido para comenzar a caminar. Con los sentidos bien despiertos, registraba todo lo que sucedía a su alrededor: los gestos de la gente, sus voces, sus expresiones de cariño o de irritabilidad, los colores de sus casas, la algarabía de sus niños a la salida de las escuelas públicas o de los colegios privados, los olores que despedían sus panaderías y sus restaurantes, en fin, el trajín diario y cotidiano que se podía percibir en un sector de trabajadores humildes, de profesionales de clase media o de familias adineradas y pudientes. A veces, ocultándose de miradas indiscretas, como si se tratara de una vergüenza o de un delito, se acercaba a una pared o a una ventana y las acariciaba para entrar en contacto directo con ellas. Eran instantes de transformaciones súbitas y veloces que le permitían introducirse en aquello que palpaba con los dedos estremecidos y excitados. Aplicando este método personal y secreto, fue cancha de baloncesto en Fontibón, poste de luz en Lucero Alto, barda de antejardín en el Quiroga, taza de café en Lijacá, escalinatas de cemento en el Minuto de Dios, botella de gaseosa en Venecia, tapa de alcantarilla en Kennedy, muro de cemento en Toberín, puerta de iglesia en Marruecos, bolsa de basura en Usme. En cada trayecto iba sumando barrios y objetos aprehendidos que luego eran incorporados en el libro *Están hablando*. Sin embargo, muy pronto, a las tres o cuatro semanas, se dio cuenta de que la escritura era insuficiente para plasmar esa aventura urbana. Necesitaba algo más, un complemento, una acción paralela que le diera al lenguaje verbal corporeidad y tridimensionalidad. Así nació su proyecto *Mapa Bogotá*, que consistía en ir trasladando a un plano gigantesco de la ciudad sus ejercicios sensoriales. Compró papeles y cartones de diversos colores, unos finos y otros gruesos y duros, pegantes, témperas, crayolas, tachuelas y plastilinas. Cada sector llevaba un determinado color y una textura acorde con lo que él había experimentado en esas calles. También compró esencias y olores artificiales que iba distribuyendo minuciosamente en las múltiples figuras de ese plano gigantesco que ocupaba casi por completo el espacio del apartamento. Cuando iba al baño o a la cocina tenía que hacerlo sobre la punta de los pies y dando pequeños saltos para no dañar aquellas zonas de la obra que ya estaban terminadas. Y un mes más tarde, para completar el proyecto, compró una grabadora y registró en ella los ruidos de los barrios que iba incorporando en el mapa. Sonidos de automotores, televisores, radios, aspiradoras y licuadoras, voces de tenderos y de amas de casa conversando con sus vecinos, gritos de niños en los parques y en los colegios, ecos, portazos, bullicio de vendedores ambulantes y de comerciantes, pitos de carros y de motocicletas, murmullos de parejas en las cafeterías, alboroto en estaciones de gasolina y talleres de mecánica y estruendos y detonaciones en fábricas y compañías industriales. Las cintas eran rotuladas con los nombres de los barrios y entraban a hacer parte de una fonoteca que estaba clasificada según los cuatro puntos cardinales de la ciudad. De esta manera, con mucha precisión y parsimonia,

Samuel se entregó de lleno a una actividad febril y delirante que lo colmaba de gozo y de alegría.

Una tarde salió del apartamento y se tropezó con Rosario, que estaba esperándolo frente al edificio, afuera, sentada en un muro de ladrillo.

—¿Qué estás haciendo aquí? —preguntó él con un dejo de alarma en la voz.

Ella se quedó contemplándolo en silencio: había adelgazado y las líneas de su rostro se habían endurecido, sobre todo alrededor de los ojos.

—¿Me estabas esperando? —volvió a preguntar Samuel con preocupación.

—Pensé que me buscarías para darme una explicación.

—He estado muy ocupado...

—No te estaba pidiendo limosna. Una explicación era lo mínimo. Me la merecía.

—Estabas tan alterada la última vez...

—Sólo vine a preguntarte una cosa, una sola.

Samuel sintió una descarga eléctrica en la columna vertebral. Era desagradable tener que solucionar problemas que pertenecían a la vida del otro.

—¿Me quisiste? ¿Me amaste de verdad? ¿No estabas jugando conmigo?

Él esquivó la mirada de Rosario, pero respondió con claridad:

—Te amé hasta ese día, después no.

—¿Dejaste de quererme de un día para otro?

—Sí. Yo soy así.

—Está todo muy claro.

Ella se enjugó un par de lágrimas, apretó el bolso que llevaba y se fue caminando con torpeza hacia la carrera Quinta. Un sol vespertino le iluminaba el cabello negro y la hacía parecer como la heroína de una película deprimente y melodramática. Samuel no se enterneció. Le pareció la típica escena ridícula y cursi de pareja en la que uno de los dos salía a defender su ego maltrecho y desbaratado.

Efraín, por su parte, continuó entregado a sus clases de literatura. Puso todo su empeño en que los estudiantes entendieran a cabalidad la importancia de la novela *4 años a bordo de mí mismo*, de Eduardo Zalamea Borda. Para rematar esa clase (no sabía él que sería la última) tomó el libro, lo abrió en la última página, llenó de aire los pulmones y leyó con gran fortaleza:

> He visto la tragedia, el parto, el beso, el amor y la muerte; he sentido el grito de felicidad de la mujer poseída y el grito de dolor del hombre que se suicida; he gustado el sabor de las comidas rudas y el sabor dulce, agrio y amargo del hambre; he tocado senos de bronce, pieles de maní, manos generosas de hombre; y cabos de cuchillos y de revólveres, y conchas de perlas; y a mi olfato han llegado todos los olores: el de la sangre, mareante y mezclado siempre con la locura, el del amor, el del aceite de coco, el olor de la sal y del yodo del mar. He oído, he gustado, he olido, he tocado, he visto... Sí, he vivido 4 años a bordo de mí mismo.

Fue una manera esplendorosa de cerrar su última charla con los muchachos. Se quedaron inmóviles en sus asientos, mirando al frente, como si los hubieran hipnotizado. Sólo los sacó de ese ensimismamiento el ruido de la campana para salir al recreo.

En las horas de la noche, recorriendo algunos barrios de Ciudad Bolívar, Samuel se dio cuenta de que no había contemplado un inconveniente en su empresa de elaborar un mapa sensorial sobre Bogotá, y era que el día y la noche trazaban una diferencia compleja en las percepciones.

Las formas que se deshacían por exceso de luz obligaban a relacionarse con los objetos ya no desde lo óptico, sino desde lo táctil o lo oloroso. Lo mismo ocurría con la oscuridad que desdibujaba el mundo: obligaba a nuevos acercamientos, nuevas velocidades y nuevas lentitudes de aprehensión. El día y la noche, más que patrones de medida del paso del tiempo, se volvían dimensiones corporales, pliegues y cúmulo de sensaciones. A esto había que añadirle una verdad evidente: un barrio era una cosa al despuntar la mañana y otra muy distinta en las horas de la media noche. No era sólo que cambiaran las percepciones, sino que cambiaba la vida de los habitantes, las impresiones de peligro o de placidez, o incluso en una misma cuadra vivían unos individuos de día y otros completamente distintos de noche. A las siete de la mañana, por ejemplo, la luz iluminaba las casas desde las montañas, desde el Oriente, y podía verse a las madres llevar a sus hijos al colegio o acompañarlos hasta el paradero para tomar el autobús, la gente caminaba de prisa para llegar a tiempo a sus trabajos, las tiendas y los almacenes despachaban leche, jugo, huevos y pan, los rostros estaban limpios y recién lavados, podía olerse en el aire el aroma de los jabones, las cremas, las lociones y los perfumes, y la ciudad despedía energía y ganas de vivir. En cambio, a las diez de la noche era difícil percibir en la calle voces infantiles, los rostros estaban abotagados, sucios de sudor acumulado y contaminación ambiental, las sombras en el pavimento provenían de la escasa luz de las bombillas públicas, las personas caminaban con resquemor, dudando, mirando hacia atrás para cerciorarse de no ser perseguidas, las tiendas despachaban cigarrillos, cerveza y aguardiente, y en la penumbra tenue de rincones y bocacalles se presentía la fatiga, las ganas de dormir y a veces hasta la muerte.

En resumidas cuentas, Samuel se dijo que si quería ser fiel a los hechos, tenía que hacer dos proyectos: un mapa para la ciudad diurna y otro para la nocturna. Porque en un plano dibujado en un pliego de papel se presupone que esas calles, esas construcciones y los ciudadanos que viven en ellas son idénticos a sí mismos las veinticuatro horas del día, lo cual, por supuesto, es mentira. Es la diferencia entre la abstracción y los sentidos, entre las matemáticas o la geometría y la vida real.

Sin embargo, no llegó a iniciar el proyecto de la ciudad nocturna. No tuvo tiempo. A la mañana siguiente Efraín iba llegando al colegio y vio desde lejos dos autos de la Policía estacionados frente a la reja principal de la institución (seguramente habían ido a su apartamento, pero él ya había salido a trabajar). Un par de detectives con chaquetas de cuero interrogaban a los estudiantes de mayor edad y custodiaban el ingreso a las aulas con esas miradas inconfundibles de sabuesos acostumbrados a la vigilancia y la persecución.

Lo primero que se le ocurrió a Efraín fue empezar a correr e impedir que los esbirros lo capturaran. Pero de pronto recordó que justo ese día tenía una cita con su discípulo Alfonso Aristizábal para comentarle los escritos que le había entregado varias semanas atrás, y no le parecía un asunto irrelevante o intrascendente. Los cuentos revelaban a un auténtico artista, a una pluma sensible y aguda que sin lugar a dudas sería el día de mañana un narrador sobresaliente capaz de componer una obra literaria propia e independiente. Descubrir un talento semejante justificaba sus clases, su dedicación al curso y quizás la existencia misma de Efraín Espitia. Olvidándose del peligro por unos instantes, se arrodilló entonces en un rincón y sacó dos hojas que le había escrito la noche anterior a su estudiante. Esas hojas estaban escritas en estos términos:

Carta a un joven prosista
Querido Alfonso,
lo primero que tienes que aprender es que el tiempo de afuera, el tiempo veloz y acelerado del comercio y las comunicaciones, no es el tiempo de la creación, el tuyo, el interno. Debes separar esas dos vivencias temporales. La construcción de tu obra sucederá lentamente, en silencio, e irá acompañada de una reflexión pausada y profunda sobre ti mismo y sobre el mundo que te rodea. La insatisfacción de vivir en una realidad que te desagrada y te decepciona irá acompañada de una necesidad de reemplazar esa realidad por otra, por la tuya, por la que irá surgiendo en tus libros poco a poco. Se trata de matar a Dios y de tomar su puesto por asalto. Semejante atrevimiento no lo vas a lograr de la noche a la mañana. Es un proceso de años. Uno de los errores más comunes de los prosistas jóvenes es precisamente ése: afanarse en escribir y publicar, dejarse meter prisa, confundir los dos tiempos de los que te hablo. El resultado lo has visto tú mismo: una prosa ligera, verde, y una inmadurez que salta a la vista desde las primeras páginas. Cuando esto sucede, el artista no logra destronar al Rey de la creación, a lo sumo ejecuta unas cuantas escaramuzas sin peso ni sustancia. No caigas en la tentación de apresurarte y de abortar tu plan de abordaje. Quédate agazapado, pensando, organizando, reflexionando, madurando. No olvides que esta rebelión implica también una lucha tremenda y a muerte con la sociedad que te vigila, que te juzga y que te exige resultados profesionales inmediatos. Sublevarse contra la sociedad no es cuestión de unas cuantas pataletas adolescentes. Es mucho más difícil que eso. Significa

derrumbar una serie de estructuras mentales que no están afuera, allá, en los demás, sino adentro, en ti mismo. La clase social a la que perteneces (sea la que sea) implica una educación determinada en la cual te inoculan conceptos, gustos, sueños, ilusiones, afectos, maneras de juzgar, en fin, es un paquete completo que no vas a quitarte de encima sin esfuerzo y dedicación. Los años de formación son también eso: una decodificación de la clase social que nos ha marcado con su sello inconfundible. Es decir, la primera batalla que debes ganar es contra ti mismo. Quien no sabe vencerse no puede pretender convertirse algún día en un creador, en un dador de vida. Como debes intuir, la época por la que estás pasando es la más ardua, la más difícil, la que te llevará a combates contra ti nada fáciles de superar. Por algo es la época que se saltan todos, el estado de conciencia que no soportan, la angustia de estar consigo mismos que prefieren rechazar. Esta es la prueba definitiva. No busques atajos porque no los hay. Ahí, en el interior de la ballena, debes convocar a todos tus fantasmas y librar con ellos la gran batalla de la soledad. Más adelante tus personajes se nutrirán y se alimentarán de estos instantes por los que estás atravesando, toda tu obra girará en torno a estos espíritus que ahora tanto te atormentan, que te hieren, que te maltratan y te torturan de día y de noche sin dejarte respirar. Tranquilo. Los irás reconociendo poco a poco, te serán familiares con el paso del tiempo, y luego los vencerás para obligarlos a convertirse en tus grandes aliados, en tus mejores soldados. Tu inconsciente es el gran pozo de donde nacerá toda tu obra. Conócelo, enfréntalo, ámalo. Al final, listo ya para comenzar la construcción de una nueva realidad, te llegará la época de la concentración y la disciplina, el trabajo diario con las palabras, los trucos del oficio. Y llegará también el momento de la edición, de tus libros en las *librerías, y te parecerá mentira que tú hayas sido capaz de tanta paciencia y tanta terquedad. Pero si no cruzas correctamente el período de tu formación, todo el resto será una farsa y una pantomima de muy baja calidad.*

Sé que no puedo serte útil en este momento, Alfonso, que estás solo, sin brújula, sin un abrazo, sin nadie que te reconforte ni te dé alientos. Pero si de algo te sirve, quiero decirte que tus cuentos son magníficos, que tengo fe en ti, que creo en tu talento y que estoy seguro de que un día tendré el placer de leerte para regocijarme en la hondura de tus personajes y en la honestidad de tus historias.

Que Hermes, el dios del lenguaje, te sea propicio.

Tu profesor,

Efraín

Dobló las dos hojas y se las dio a un estudiante del mismo curso de Alfonso que pasaba en ese momento junto a él. Le encargó que se las entregara personalmente y que le dijera al joven que lamentaba tener que incumplirle la cita. Luego se puso otra vez de pie y vio que los dos policías caminaban hacia él con paso lento y cauteloso. Emprendió la huida volteando la esquina y corriendo con la máxima velocidad que le permitían sus piernas. Escuchó a sus espaldas las voces que gritaban «¡Alto!» una y otra vez, pero no hizo caso ni quiso mirar hacia atrás.

La cacería duró apenas tres o cuatro minutos. Cuando estaba atravesando un parque vacío y desolado oyó las detonaciones y dos quemazones en el costado derecho, abajo, en la región lumbar, lo hicieron tambalearse y caer a tierra. Intentó levantarse para seguir corriendo, pero el ardor y las punzadas que le herían la espalda se lo impidieron. Uno de los agentes lo alcanzó, le puso un pie encima y le apuntó con el revólver.

—Si se mueve, le abro la cabeza, hermano —le dijo con una sonrisa de satisfacción.

Sintió la sangre manándole a borbotones por los dos agujeros que las balas habían abierto en su carne tensa y sudorosa. Las imágenes iban y venían según las pulsaciones de su corazón. Le costaba trabajo respirar y mantener la atención en ese mundo difuso que tendía a desdibujarse en sus ojos fatigados. Alcanzó a tener conciencia de la muerte de Efraín, pues era él quien estaba desapareciendo lentamente y en silencio, sin discursos, sin frases rimbombantes ni grandilocuentes.

—Pida una ambulancia, rápido —le ordenó uno de los policías a su colega.

Y la realidad fue entonces una fotografía borrosa que se desvaneció en el frío húmedo de la mañana.

Capítulo VII

PRISIONERO 212

Se despertó en el Hospital Militar, en una habitación para él solo, mareado y con el torso vendado y lleno de gasas que despedían un olor a alcohol y desinfectantes. El hombre que lo había capturado estaba a su lado sin saco, con la corbata suelta y la camisa arremangada.

—Tengo sed —dijo casi como una súplica, con los labios resecos y cuarteados.

El policía le acercó un vaso de agua y él bebió sintiendo cómo el líquido le refrescaba la boca y la garganta.

—Gracias.

El hombre dejó el vaso en la mesa de noche y volvió a hacerse al lado de la cama, muy cerca.

—Necesito hacerle varias preguntas.

—Sobre qué.

—Quiero los nombres de sus cómplices en la organización, los contactos nacionales que los apoyaban con propaganda y financiación, los enlaces internacionales para las armas y los explosivos, la jerarquía militar y administrativa, todo.

—No recuerdo nada.

—No se haga el imbécil. Si no colabora va a ser peor para usted.

—No sé de qué me está hablando.

—Si nos ayuda recibirá un trato especial. De lo contrario, se va para la cárcel, hacemos correr el rumor de que usted cantó en los interrogatorios y sus propios compinches se encargarán de quebrarlo.

—¿Es una amenaza?

—Es la verdad, hermano. En este momento sus amigos son sus peores enemigos. Usted verá.

—Yo no soy un soplón.

—Es mejor ser un soplón y no un cadáver.

—Según...

—Allá usted, hermano. Piénselo. Descanse y hablamos mañana.

El tipo se acercó a un pequeño sofá que estaba junto a la única ventana de la alcoba, agarró su saco con un golpe seco, como si la actitud de Samuel se tratara de una ofensa personal, y salió tirando un portazo y murmurando lo que seguramente era una maldición que Samuel no alcanzó a precisar.

A la mañana siguiente entraron los dos policías que lo habían perseguido y un tercer hombre que por su edad y sus ademanes daba la impresión de pertenecer a un rango muy superior.

—Espero que haya recapacitado y que hoy sí colabore con nosotros —le dijo el viejo esbozando una sonrisa de fingida cordialidad.

—Yo no sé nada —dijo Samuel en un tono neutro.

—Escúcheme bien, jovencito, no somos unos güevones con los que usted va a jugar a su antojo. Sabemos a qué organización pertenece, sabemos que sus padres murieron en un operativo que presuntamente implicaba al general Altamirano y sabemos dónde vivió mientras se preparaba para el golpe. Los vecinos reconocieron su foto. Queremos los detalles, los nombres de sus cómplices y los lugares donde se esconden.

—No sé de qué me están hablando.

—Le ofrecemos protección y una salida en regla para que viva por fuera del país. Su información nos ayudará a encarcelar a todos los cabecillas y a desmantelar lo que queda de la organización. Nos comprometemos a instalarlo en el extranjero y a enviarle por un tiempo una suma mensual nada despreciable.

—La vieja táctica de comprar...

—No sabe lo que le espera en la cárcel.

—Está perdiendo su tiempo conmigo. No tengo precio.

—Pensé que era más inteligente, jovencito. Sus abuelos murieron en Nueva York de pena moral. Está solo. No tiene a nadie.

La noticia dicha en ese tono y de esa manera fue un golpe bajo. Había perdido contacto con sus abuelos desde mucho antes del atentado. Samuel tragó entero y aguantó sin exteriorizar sus sentimientos.

—¿Los mataron? —preguntó recostado en unos cojines que las enfermeras le habían acomodado en la cabecera de la cama.

—Se murieron de tristeza, ya le dije. Aquí el asesino es usted, no nosotros.

—No tengo nada qué decir.

—Se está enterrando solo. No tiene sentido sacrificarse por un puñado de cabrones que a estas alturas lo estará buscando para matarlo.

—No sé nada.

—Ponga atención, jovencito, concéntrese: no tiene coartadas, todo lo señala como el principal sospechoso, y el primer amigo suyo que capturemos va a cantar hasta lo que no sabe, lo va a incriminar y lo va a hundir, se va a largar con la plata que ahora le estamos ofreciendo a usted y va a vivir en Miami o en Toronto como un príncipe.

—No me importa. Ese no es mi problema.

—Sí lo es, porque ese fulano se va a encargar de que usted pase toda su juventud en la cárcel. Piense, jovencito, piense. Allá afuera lo espera una segunda oportunidad, mujeres, un trabajo estable, viajes, diversión. En cambio entre rejas sólo hay un puñado de gorilas arrechos esperándolo para violarlo.

—Déjenme en paz.

—Ya veremos si después de unos días preso nos sigue hablando en ese tonito.

Los tipos salieron y Samuel se quedó mirando por la ventana. Sabía que las cosas se iban a poner feas y que tanto los militares como sus compañeros intentarían hacerle pagar lo sucedido. Los unos se cobrarían la muerte de Altamirano y sus hombres, y los otros, el cúmulo de errores y desaciertos que había lanzado a los organismos de seguridad, como animales sedientos de sangre, detrás de ellos.

Dos horas más tarde entró un funcionario vestido de corbata con un maletín de ejecutivo en la mano. Le tomó las huellas digitales y le preguntó:

—Su segunda identidad es Efraín Espitia, ¿verdad?

—No sé.

—¿Hace cuánto consiguió esos documentos?

—No sé.

—Es el trabajo de un profesional. Nosotros nos conocemos todos los unos a los otros, bien sea que estemos de este bando o del otro. Me gustaría saber quién le hizo los papeles.

—No sé.

—¿Sabía que Efraín Espitia existió de verdad?

—No, no lo sabía.

—¿Y no le da curiosidad saber quién era y a qué se dedicaba?

—Dígamelo usted.

—Era estibador en Buenaventura. Un negro corpulento, calvo, alegre, seguramente. Lo mataron por la espalda. Le pegaron dos tiros.

—No me diga —comentó Samuel, sarcástico, haciéndose el desinteresado.

—Una extraña coincidencia, ¿no le parece?

—No lo sé.

El empleado público le tomó varias fotografías de frente y de costado sin volver a dirigirle la palabra. Tampoco se despidió al salir. Samuel se quedó solo en la habitación el resto del día. Las únicas visitas fueron las de las empleadas de la cocina para llevarle la comida y las de las enfermeras en sus rondas de vigilancia para comprobar el estado de los enfermos.

Al cabo de unos días los médicos lo dieron de alta y un carro celular lo condujo a la cárcel. Samuel sintió durante el recorrido (y más tarde también, cuando ingresaron en un patio gigantesco y dos puertas metálicas se cerraron haciendo eco e impidiendo cualquier contacto con la parte externa de la prisión) una paz bienhechora que lo tranquilizaba y le impedía preocuparse o sobresaltarse. Era una sensación que hacía el efecto de un sedante. Tenía la impresión de estar en una zona intermedia entre la realidad y la irrealidad cumpliendo una serie de acciones que ya estaban predeterminadas para él, como si fuera un héroe antiguo consumando un destino personal e intransferible. Cada imagen que veía a través de la pequeña rejilla del auto le parecía conocida, presentida, como si ya la hubiera visto en sueños y ahora la estuviera experimentando en una especie de vigilia teatral. Y cuando lo hicieron descender y le dijeron que esperara ahí, parado en mitad del patio, levantó los ojos al cielo, y las formas móviles de las nubes, la luz mortecina de esa tarde gris y las ráfagas de viento frío que le helaban los huesos le parecieron conocidas y familiares. Se veía a sí mismo no como un reo al que acababan de encarcelar, sino como un actor que estaba haciendo todo lo posible por inyectarle naturalidad a un libreto que se sabía de memoria y que había repetido hasta la saciedad. Pasaron los minutos y el recuerdo de Rosario le llegó de repente haciéndole daño con su atmósfera de pureza y su ausencia de suciedad y de malicia. El encargado de quererla había sido Efraín, pero él la veía como si fuera una buena mujer cuyas virtudes y cualidades saltaban a la vista. ¿Había sido ella la que lo había delatado? Ofendida y con la certeza de haber sido utilizada como tantas veces en el pasado, ¿se había dirigido entonces hasta la Comisaría y había dicho que ella conocía a un sujeto sospechoso y extraño que quizás estaba involucrado en el famoso atentado contra los soldados del Ejército que iban en un camión? La imaginó con las manos temblorosas soportando las miradas de lascivia de los policías que entraban y salían de la Comisaría. La pobre Rosario, sola y abandonada, levantada a media noche con la cabeza atiborrada de preguntas (¿se había enamorado de un asesino y terrorista?), caminando por la calle sin entender nada, cansada y deprimida, diciéndose que nunca más volvería a entregarse, encerrada en el baño del restaurante con los ojos llenos de lágrimas creyéndose que estaba con su príncipe azul recorriendo La Alhambra y los jardines de Generalife. Ella, sin duda, había sido la gran damnificada en toda esa historia descabellada y absurda.

Un grito sacó a Samuel de sus cavilaciones:

—¡Venga!

Un guardia lo llamó desde uno de los edificios de la administración y le hizo un gesto para que se acercara. Samuel, con las manos esposadas al frente, caminó unos pasos hasta llegar a las escaleras que conducían a las oficinas de la cárcel.

—¡Venga, entre! —le repitió el guardia.

Adentro se respiraba el olor característico de las edificaciones viejas y lúgubres, un olor a madera polvorienta y a humedad rancia que desgasta la pintura de las paredes. Había tres agentes archivando documentos y otros dos escribiendo en pesadas máquinas de escribir cuyas teclas producían un sonido irregular al golpear la hoja contra el rodillo. Samuel se quedó de pie frente a uno de los escritorios y por unos cuantos segundos tuvo la impresión de no pertenecer a la misma especie que esos carceleros que estaban ahí cumpliendo con sus obligaciones burocráticas y oficinescas. Enfrentó su encarcelamiento con un ánimo provocador y desafiante. No inclinó la cabeza ni bajó los ojos durante el fichaje ni una sola vez. Le otorgaron un número, el 212. De ahí en adelante sería el prisionero 212.

A partir de este momento, cambió la velocidad exagerada con la que se había movido su vida, los sucesos cobraron una dimensión más íntima y tuvo que aprender, en medio del encierro, a generar una cierta amistad consigo mismo. Descubrió que la cárcel es un cambio de ritmo que les enseña a los prisioneros la multiplicidad de pliegues y recovecos de una existencia que ellos creen que se mueve de manera plana y rectilínea.

Le asignaron una celda compartida con otros dos reclusos sindicados también de rebelión. Samuel preguntó qué había sucedido con las pertenencias que tenía en su apartamento (ropa, colchones, cobijas, televisor) y el guardia le replicó:

—Pregúntele a su abogado.

—Cuál abogado.

—Si no tiene, le nombrarán uno de oficio.

—Espero que no se las roben.

—Ese no es nuestro problema.

Llamaron a dos guardias que lo custodiaron hasta la sección de presos políticos. Por las miradas y los cuchicheos de los reclusos en los distintos corredores que atravesaron, Samuel concluyó que su caso era público y que los medios de comunicación ya habían difundido la noticia de su captura.

En efecto, los noticieros de televisión y la prensa escrita le habían dado un amplio cubrimiento al caso de Samuel. La Policía había dejado entrar a los periodistas al apartamento de él en La Macarena, y, como prueba contundente de sus vínculos con organizaciones al margen de la ley, les había mostrado a los reporteros el mapa y las grabaciones donde se comprobaba el itinerario de futuros atentados terroristas. De esta manera, *Proyecto Bogotá* fue despojado de sus intereses estéticos y se convirtió en un plan guerrero de destrucción a gran escala. Y el libro titulado *Están hablando* fue interpretado como una secuencia de mensajes cifrados que especificaban la hora, el lugar y los detalles logísticos de los atentados. Samuel no se había enterado de nada por su reticencia a ver noticieros de televisión y a leer los periódicos y los semanarios, precisamente para no tropezarse con aquellos recuerdos que tanto le atormentaban en la memoria.

Lo cierto es que él entró en la cárcel sin ser consciente de la fama que lo precedía, y poco a poco, en la medida en que iban pasando los días, fue notando la importancia que la muerte de Altamirano tenía dentro de la población carcelaria. Por un lado, se consideraba el atentado contra la Brigada Especial como un acto de justicia y de legítima defensa, pues era conocido de sobra el prontuario criminal de dicha institución. Y por otro, los colaboradores del Ejército y los integrantes de grupos paramilitares aseguraban que semejante matanza demostraba la cobardía y la vileza de unos psicópatas que se autodenominaban «revolucionarios», cuando en realidad eran una pandilla de vagabundos y desadaptados que impedía la modernización y el progreso del país. Había que tener cuidado y era mejor no emitir comentarios que pudieran comprometerlo. Lo más conveniente era no llamar la atención y eludir al máximo las provocaciones y los insultos. Se hizo el firme propósito de no participar en polémicas políticas que lo más seguro era que se regresaran contra él y lo perjudicaran hasta el punto de exponer la vida y de ser asesinado en cualquier momento.

Sus dos compañeros de celda eran mucho mayores que él. Enrique Abadía era un cuarentón fornido y temperamental que había dirigido una de las cuadrillas del Ejército de Liberación Nacional durante más de dos lustros. El otro se llamaba Jesús María Torres y era un anciano de sesenta años que había pasado su vida entera combatiendo a favor del movimiento sindical. Ambos lo recibieron con abrazos y fuertes apretones de manos que reflejaban su solidaridad y su buena disposición hacia él. Lo instruyeron acerca del comportamiento y las costumbres de la cárcel, y le recomendaron que, pasara lo que pasara, procurara no quedarse solo en lugares como los talleres, la cocina y los baños, pues era peligroso exponerse a un ataque por parte del bando enemigo. Lo peor era que los guardias y el director estaban a favor de los otros, y eso los hacía más poderosos, con mayor capacidad de corrupción, prácticamente intocables. Lo inteligente no era enfrentarlos, sino saber eludirlos. Samuel tomó nota y agradeció los consejos de sus nuevos amigos.

Los primeros días transcurrieron en medio de actividades anodinas que generaban en todos los reos ese hastío permanente que los hacía caminar y hablar como si fueran autómatas programados para actuar y pensar de cierta manera y no de otra. Samuel se fue acoplando con paciencia y sin desesperarse a ese ritmo parsimonioso que rodeaba la vida penitenciaria, y que se cumplía día a día sin sorpresas y sin grandes sobresaltos. En la cárcel nadie tiene afán, nadie se apresura porque vaya tarde y tema ser impuntual. El tiempo transcurre a media marcha y crea una impresión de movimientos, lentos, tardíos, como si acontecieran en medio de un sueño general. Por eso los adictos a la cocaína son pocos y padecen el encierro de manera tortuosa y lacerante, pues la droga les multiplica la sensación de angustia claustrofóbica que muchas veces los conduce a un infarto o a abrirse la cabeza a golpes contra las paredes. En cambio, la marihuana relaja al recluso y lo pone a tono con esa atmósfera perezosa que se extiende a lo largo de todo el penal. En las horas de la noche, antes de dormir, comienza la ronda donde los presos se pasan de celda en celda y de mano en mano el delgado cigarrillo de bareta que les regresa la vida que dejaron allá, al otro lado de los muros (las novias, los amigos, los negocios, los hijos), y que los prepara también para las largas noches de frío y de insomnio prolongado. La bareta libera una fantasía que busca con ansiedad las huellas de un universo perdido allá afuera, entre los hombres libres. Las densas columnas de humo que se toman los corredores y que salen por las ventanas de las celdas, la tos repetitiva de los que aspiran con exageración, las risitas soterradas de aquéllos cuya imaginación absurda les produce una hilaridad momentánea y los reproches de unos centinelas indignados que gritan «¡Marihuaneros cabrones, a dormir!», indican que ha llegado la hora de la libertad, la hora en que los presidiarios se transforman en espectros para abrir las puertas de la reclusión y salir alucinados a conquistar la noche.

En esos primeros días, Samuel recordó que justo después del atentado había creído que su vida, de ahí en adelante, estaba perdida, irremediablemente echada a la basura. ¿Había acaso intuido que terminaría tras las rejas? No estaba seguro, pero era obvio que tendría que acostumbrarse a pasar unos buenos años lejos de sus congéneres y de las posibilidades que brindaba la vida libre. ¿Lograría ser feliz y construir a su alrededor un alborozo que le permitiera estar cómodo y en paz consigo mismo? No lo sabía, pero sí sospechaba que ésa sería la prueba definitiva durante sus años de encierro obligatorio. Tenía que escapar de la amargura, de las recriminaciones fáciles y de la autocompasión.

En la segunda semana le notificaron quién era el abogado de oficio que se encargaría de su caso. Como era de suponer no le nombraron un profesional competente y arriesgado, sino un leguleyo cualquiera que no tenía el más mínimo interés en defenderlo. El hombrecillo se limitó a firmar unos documentos y a cumplir con los trámites de rigor. Samuel era consciente de que no había pruebas de su participación directa en el atentado, pero no quiso dar la pelea, se limitó a quedarse al margen del proceso, como un espectador aburrido que bostezaba ante el decadente espectáculo de su propia existencia. Enrique, su compañero de celda, lo increpó una noche:

—No tienen pruebas contra ti. Puedes ganar el juicio.

—No me interesa.

—¿Me estás diciendo que te vas a confesar culpable sin que haya pruebas?

—Tampoco.

—¿Entonces?

—Nada, no quiero saber nada sobre el asunto.

—Pero si se trata de tu libertad, hombre.

—Ya lo sé.

—Aquí no sirves para un carajo. Afuera, en cambio, puedes ser muy útil para la causa.

—Cambiemos de tema.

—No sé cómo prefieres estar en este agujero. Creo que te falta un tornillo en la cabeza.

—Hablemos de otra cosa, ¿sí?

—Como quieras, pero estás cometiendo un error.

Nadie pudo comprender esa actitud suya de displicencia y desprecio hacia todo lo que tuviera que ver con la resolución de su caso. Unos afirmaban que Samuel era un cobarde, que tenía miedo de enfrentar a las autoridades, que se había rendido, que era como un perro apaleado con el rabo entre las piernas. Y otros creían que era un joven inmaduro e inexperto que no tenía ni idea de cómo tomar las riendas de su conducta para salir triunfante y victorioso. Estas personas lo veían como un muchachito sin carácter, apocado y pusilánime. De todos modos, desde un lado o desde el otro, el juicio que los demás se hicieron sobre él no fue positivo ni alentador.

Hasta tal punto, que Jesús María (alias *Chucho*), el tercero dentro de su celda, le advirtió:

—Ten mucho cuidado: presiento que tarde o temprano se te van a ir encima.

—¿Quiénes? —preguntó él azorado.

—No lo sé.

—¿Te enteraste de algo contra mí?

—No todavía.

—¿Entonces por qué me dices eso?

—Por experiencia.

—A quién le importa lo que yo haga o deje de hacer con mi vida.

—A todos.

—No entiendo un carajo, Chucho.

—La cárcel funciona como un gallinero —comenzó a explicar el viejo con aires doctos y didácticos—. ¿Has visto de cerca el comportamiento de esos animales? Es una de las sociedades más crueles y violentas. Si uno de sus miembros agacha la cabeza o da señales de estar débil, los otros se le van encima y lo eliminan. Lo matan a picotazos y se lo tragan. Son caníbales.

—¿Y eso qué tiene que ver conmigo?

—Tu actitud se ha interpretado como un gesto de cobardía. Te la van a cobrar.

—Yo no quiero problemas.

—Ya los tienes.

Enrique se metió en la conversación y respaldó las palabras del anciano:

—Chucho tiene razón. Tienes que estar alerta.

—Y qué, ¿van a intentar matarme o qué?

—Tu vida corre peligro, sí —continuó hablando Enrique—. Cuando llegue el momento vas a tener que de-

147

fenderte. Si podemos ayudarte, bien, pero si no, vas a tener que hacerlo tú solo.

Samuel intuyó que había rumores que sus amigos habían escuchado, pero que no querían confirmárselos para no atemorizarlo más de lo que ya estaba. Muchas veces, en la mitad de la noche, se despertaba pensando que lo iban a asesinar antes de llegar al juicio y que nunca se enteraría de la autoría intelectual que había comprado la mano homicida (¿los militares, sus viejos cómplices en la organización, los demás reclusos en una acción que demostraba su rechazo y su antipatía hacia él?). Lo más triste era imaginarse su entierro sin familiares, sin amigos, sin una novia o una amante que llorara su ausencia. Sólo Enrique y Chucho asistiendo a la ceremonia con ademanes más cercanos a la apatía y la desidia que al verdadero y auténtico dolor. «Se lo tenía bien merecido, por idiota», murmurarían al día siguiente del funeral en los talleres, en el almuerzo y en los distintos patios del penal.

Al tercer domingo de estar prisionero, uno de los guardias le avisó:

—Sotomayor, tiene visita.

—¿Yo? —preguntó él incrédulo, recelando de si no se trataría de una trampa.

—¿En qué idioma estoy hablando? Muévase.

Iba preparado para una emboscada, pero no, lo condujeron al patio principal y lo dejaron junto a otros compañeros que estaban sonrientes y eufóricos compartiendo con sus respectivas familias. El sol estaba en lo alto del mediodía iluminando el aire y los objetos con una potencia que enceguecía. De pronto sintió una mano que le rozaba el hombro con timidez y delicadeza. Se volteó y ahí, parada con una bolsa de plástico en la mano derecha, estaba Rosario, nerviosa y sin saber cómo comportarse.

—¿Qué estás haciendo aquí?

—Vine a visitarte —su voz era suave, temerosa, y transparentaba muchos días de pena y de amargura.

—Pero Rosario...

—Me siento mal, déjame darte una explicación.

La observó en silencio unos segundos y luego le dijo calurosamente:

—No te la estoy pidiendo. Hiciste lo que tenías que hacer y ya está.

—Cuando me dijiste que ya no me querías pensé que había otra mujer detrás. Me morí de celos. Pensé que estabas con otra compartiendo lo que era de nosotros dos. Casi me enloquezco. Por eso te delaté.

—No importa ya. Nada importa. Yo no soy tu juez.

—Te quiero —los ojos de Rosario se enrojecieron y se llenaron de lágrimas—. No te he podido olvidar.

—No hagas esto más difícil.

—Nadie me ha tratado como tú, nadie me ha querido así. Yo la embarré, empecé a presionarte, a ponerte contra la pared. Hice todo mal.

—No es un problema de culpas. Las cosas suceden así y punto.

—¿No quieres verme? Puedo venir a estar contigo todos los domingos, y si me necesitas, si me piensas y te hago falta aunque sea un poquito, vengo también entonces para la visita conyugal. ¿Sí?

Samuel se dio cuenta de que ella se merecía una aclaración sincera:

—No hay peor tortura que amar a alguien que está afuera, Rosario, en la vida normal, libre, sintiéndose sola, sacrificándose por uno, necesitando apoyo, compañía, con la sensación permanente de no tener un futuro ni una ilusión...

—No me importa, yo aguanto lo que sea.

—Es que no es por ti, sino por mí. Hay hombres aquí en la cárcel que han terminado en el pabellón psiquiátrico por esa razón. No me condenes a eso, por favor.

—No puedo obligarte —ahora las lágrimas caían por sus mejillas y ella se las limpiaba con el dorso de la mano que tenía libre.

—Por favor. Necesito estar fuerte para soportar lo que se me viene encima.

—Como quieras. Tengo que respetar tus decisiones.

—No es odio, Rosario, ni rencor, te lo juro. Es que necesito quedarme solo.

—Te traje esto. Espero que te guste.

Rosario puso entre los dos la bolsa de plástico, se dio media vuelta y se alejó corriendo en busca de la salida sin mirar hacia atrás. Con una tristeza que le cortaba el aliento, Samuel recogió la bolsa y regresó a la celda caminando con dificultad, arrastrando los pies como si fuera un condenado a muerte dirigiéndose hacia el patíbulo donde lo esperaba el verdugo con la espada en alto para cortarle la cabeza.

Lo más increíble del gesto que tuvo Rosario con Samuel fue que lo repitió cada ocho días durante cerca de siete años. Los domingos en las horas de la mañana, o a veces el lunes temprano cuando el correo se retrasaba, lo llamaban los guardias para que recogiera la acostumbrada cajita de cartón que llevaba en la parte superior su nombre escrito en letra torpe e inelegante. Adentro, ordenados con meticulosidad, venían los alimentos envueltos en servilletas o en bolsas plásticas: empanadas de pollo o de carne, tortas de pan con bocadillo, galletas, tortillas de verdura, postres caseros, manzanas. Ella no le escribió jamás una carta o una nota. Tampoco volvió a visitarlo ni lo llamó por teléfono. Se limitó cada semana a mandarle por correo una pequeña caja con algo de comida casera que le rompiera el repugnante menú carcelario. Era una demostración de lealtad afectiva y de ternura sin límites.

Sin embargo, cuando estaba por cumplir los siete años de reclusión, los envíos desaparecieron por completo y no volvieron a repetirse. Samuel se acercó un lunes en la tarde a la dirección de la guardia y preguntó por su caja de cartón. Le repitieron varias veces que no había ningún encargo a su nombre. Al principio creyó que ella estaba enferma o que quizás había tenido que viajar para solucionar algún inconveniente familiar. Pero las semanas pasaron y las mermeladas de guayaba y las tortas de ahuyama no regresaron nunca más. Se preguntó si Rosario se habría casado, si tendría hijos, si era feliz en esa hipotética nueva vida que él inventaba para ella. También se le ocurrió que había muerto, tal vez sola y sin ayuda en algún hospital de caridad. Esa imagen lo hería y lo hacía sentirse mal, hasta el punto de tener que levantarse a altas horas de la noche a vomitar con el estómago revuelto y los nervios descompuestos. Lo cierto fue que ella desapareció de su vida así, súbitamente, y que a partir de entonces le tocó conformarse con las lentejas aguadas y los garbanzos sosos y duros que servían en el comedor de la prisión.

***

A los dos meses de estar encarcelado, un domingo a las tres de la tarde, dos hombres corpulentos entraron en la celda, lo agarraron a la fuerza y lo arrastraron a empellones hasta la sección donde estaban las duchas y los lavaderos. Enrique y Chucho se encontraban con sus familias en el patio central, y él solía quedarse en la cama leyendo o sencillamente fantaseando con las manos cruzadas detrás de la nuca y los ojos puestos en el aire o en el techo. Los dos matones lo arrojaron cerca de un lavamanos y se quedaron custodiando la entrada. Un gigante apodado Tarzán se detuvo en el umbral y lo contempló con una sonrisa coqueta antes de decirle.

—Espero que mis hombres no te hayan maltratado, doscientos doce. Te quiero enterito, sin huesos rotos.

—¿Por qué me trajo aquí?

—Tranquilo, sólo quiero que seamos buenos amigos.

Samuel reptó por el baldosín hasta lograr apoyar la espalda contra una pared. Tarzán dio dos pasos hacia él.

—Me gustan los jovencitos como tú, tiernos, dulces, bien parecidos.

—Está equivocado.

—No lo creo, tú eres el mejor muchachito que hay en la cárcel.

—Yo no soy maricón.

—Sí lo eres.

—Está equivocado.

—Sí lo eres y yo te voy a enseñar a que lo disfrutes.

Samuel sentía la respiración entrecortada y las venas del cuello y de las sienes a punto de reventarse. Tarzán dio otro paso y quedó a tres metros de distancia de él.

—Toda la cárcel dice que tú eres una mujercita asustada y yo creo que tienen la razón.

—Ya le repetí varias veces: yo no soy marica. Déjeme en paz.

—Sí lo eres, pero tienes miedo de aceptarlo. Por eso me encargaron que te enseñara. Vamos a pasar un buen rato juntos.

—No se me acerque.

—Vas a ver cómo es de rico. De ahora en adelante tú y yo seremos inseparables y te convertirás en mi noviecita preferida.

—Está loco.

—Ah, por cierto, se me olvidaba —dijo Tarzán llevándose una mano a la frente—, me tomé el atrevimiento de recoger una encomienda que llegó a tu nombre. Mira.

Uno de los guardaespaldas acercó la caja semanal de Rosario y la tiró a un lado, abierta, maltrecha, con los alimentos en desorden.

—Primero estamos juntos y después celebramos con comidita casera. ¿Qué dices, doscientos doce?

Parece mentira, pero lo que hizo reaccionar a Samuel no fue la defensa de su integridad personal, sino la indignación de ver por el suelo la comida preparada por Rosario con tanto sacrificio y esmero. La imaginó haciendo malabares con el miserable sueldo mínimo que le pagaban, comprando los ingredientes en la plaza de mercado con las pocas monedas que se ganaba en las propinas del restaurante y llegando a altas horas de la noche a pedir prestada la cocina de la pensión para preparar sus tortas y sus empanadas. Una ira profunda y visceral se apoderó de él en cuestión de segundos. Se puso de pie y se quitó la chaqueta. El miedo desapareció sin dejar rastros y en su lugar se instaló una rabia sorda que le hizo brotar las venas del cuello y de los antebrazos. En una rememoración infantil de orden inconsciente, le llegó a la cabeza la escena de Ulises en la matanza de los pretendientes. No era un problema de coraje o de valor. No, era cuestión de dejarse invadir por la energía circundante y de actuar con firmeza, sin dudarlo, convencido de lo que estaba haciendo. Pensó con rapidez, en pocos segundos:

«Se nace con grandeza y majestad, o se nace proclive al servilismo, la abyección y la bajeza». Entonces Samuel levantó la cabeza y se plantó frente a Tarzán con los músculos tensos y la mirada fija, atenta, sin parpadear.

—Se envalentonó el jovencito —dijo Tarzán sonriéndose con aires de superioridad.

Samuel se quedó callado sintiendo el cuerpo a punto de estallar.

—He derrotado a todos los de la cárcel, doscientos doce. No me va a vencer mi futura noviecita.

—Arreglemos esto rápido.

—Te vas a arrepentir, mujercita.

—Veamos.

Tarzán inclinó el torso apenas dos o tres centímetros y Samuel descubrió en los ojos del gigante que el puñetazo vendría por el lado izquierdo. Tres años de competencia en los torneos de artes marciales colegiales en Estados Unidos y dos en la Universidad Nacional de Bogotá le habían enseñado que cualquier ataque por parte del adversario se reflejaba primero en sus ojos. No en vano había llegado a ser campeón nacional en los encuentros universitarios de karate. Así que se agachó con agilidad sorprendente, felina, y recibió al hombre con un golpe seco y certero en el hígado. Estiró los dedos y utilizó la mano como un cuchillo para entrar y herir en el sitio indicado. Tarzán no esperaba una respuesta semejante. Se dobló en dos y se llevó las manos a la región abdominal donde había sido golpeado. Samuel estaba seguro de que la estocada era definitiva. Había visto a muchos contrincantes quedar fuera de combate después de una lesión similar. Sin embargo, intentando guardar las apariencias frente a sus hombres de confianza, Tarzán se irguió y lanzó una trompada lenta y sin peligro que se perdió en el aire húmedo del recinto. Samuel, utilizando los hombros de su enemigo como apoyo, se unió a él en un movimiento que semejaba una danza silenciosa, se elevó un poco en el aire y descargó con el talón de su pie derecho una patada que rompió la rodilla izquierda del grandulón. El hueso sonó en el momento de quebrarse y de la garganta de Tarzán salió un quejido agónico que evidenciaba el dolor de la fractura. Con una mano en el hígado y la otra en la rodilla, como si no supiera dónde era más agudo e intenso el dolor, se quedó tirado en el piso con las mandíbulas apretadas y las facciones de la cara desencajadas en una serie de muecas grotescas.

Al ver a su jefe lamentándose y sin poder levantarse para continuar la pelea, uno de los escoltas extrajo del pantalón un punzón metálico y dio unos pasos hacia delante para amedrentar a Samuel.

—Lo voy a chuzar, hijueputa —advirtió pasándose la lengua por la comisura de los labios.

Samuel empezó entonces a balancearse sobre sus dos piernas, a mecerse de un lado para el otro con los brazos levantados y los ojos puestos en su nuevo enemigo, como atolondrándolo, como hipnotizándolo con el ritmo flexible que iba desde la punta de sus pies hasta sus hombros. Parecía esos roedores que van durmiendo con sus movimientos a las serpientes hasta que logran tenerlas a su alcance para saltar sobre ellas y derrotarlas. Se sentía en la plenitud de sus fuerzas, confiado, seguro de los alejamientos y los acercamientos que iba ejecutando con lentitud pasmosa. El camorrista hacía esfuerzos por atacar pero no podía, no sabía cómo, las figuras que hacía en el aire con el trozo de metal eran escaramuzas inciertas que no alcanzaban a rozar siquiera la camiseta o el pantalón de Samuel.

—Acérquese, maricón, acérquese —volvió a amenazar el hombre sin mucha convicción.

Observando el segundo round desde el piso, Tarzán ordenó:

—¡Córtelo, hermano, córtelo!

El tercer compinche custodiaba desde afuera y se aseguraba de que ninguno de los amigos de Samuel —o alguno de los guardianes— se hiciera presente por casualidad e interrumpiera la supuesta lección que su líder pensaba darle a ese jovencito pretencioso y engreído.

Mientras tanto, los dos luchadores continuaban inmersos en esa contienda de la que sólo uno saldría triunfante y con su salud intacta. Samuel seguía haciendo lo suyo: bailando al matón, mareándolo, trazando amagos a izquierda y derecha que lo desestabilizaban y lo desconcertaban. De repente se plantó y, con una velocidad que quebró la guardia del otro, pasó al ataque pegando un salto y conectando una patada en el centro de la cara del hombre. Un chorro de sangre le brotó de inmediato de la nariz y le tiñó de rojo la boca y la barbilla. Samuel aprovechó la confusión y logró sujetarle la muñeca de la mano derecha, elevó el brazo y giró hacia afuera dibujando un medio círculo que lo dejó de espaldas al gorila con el codo de él justo encima de su hombro izquierdo. Entonces bajó con fuerza el brazo que tenía agarrado por la muñeca y subió su hombro en un golpe rotundo que rompió el codo en dos partes que quedaron desconectadas, como si se tratara del brazo de un muñeco de trapo. El arma produjo un sonido agudo al caer sobre el baldosín, y Samuel, en lugar de retirarse, tomó el otro brazo, se deslizó cuarenta o cincuenta centímetros hacia la izquierda, siempre de espaldas a su adversario, lo puso sobre su mismo hombro y repitió la operación. El efecto fue exactamente igual y el brazo se fracturó a la altura del codo quedando suelto e inservible. El tipo se estremeció y pegó un grito de dolor. Lo increíble es que la embestida de Samuel había durado apenas cinco o seis segundos.

Los dos gigantones quedaron en el suelo emitiendo quejidos y con sus frentes y sus sienes bañadas en sudor. Samuel se acercó a Tarzán y le hizo una llave que le torció la mano hacia atrás.

—¡No más, hermano, no más! —suplicó él, anhelante, vencido, a punto de llorar.

—Quién lo mandó.

—¡No más, hermano, suélteme!

—Quién le pagó.

—Suélteme, hermano, por favor.

Samuel apretó aún más hasta sentir que la muñeca estaba a punto de ceder.

—¡Nooooo! —aulló Tarzán sintiendo sus huesos frágiles ante la tortura.

—Quién fue.

—Mi coronel Moncada...

Samuel aflojó la llave un poco.

—Cuánto le pagaron.

—Cincuenta mil... —la voz pronunciaba las palabras en un leve murmullo que dejaba escapar una entonación infantil.

—La próxima vez lo mato, Tarzán —dijo Samuel tranquilo, sin alterarse, como si estuviera en la calle ante un desconocido preguntando por una dirección.

Lo soltó en un gesto brusco, se puso la chaqueta, recogió la caja de Rosario cerciorándose de que los alimentos no se fueran a caer y salió de las duchas con la seguridad de que el tercer individuo no iba a atacarlo. Así fue. Sin dirigirle a él un insulto siquiera, el recluso se abalanzó sobre su jefe y su amigo para brindarles ayuda.

La noticia se extendió en breves minutos por toda la cárcel. Un médico y dos enfermeros habían trasladado a Tarzán y a su escolta en un par de camillas por los corredores y por uno de los patios donde los internos recibían sus visitas semanales, y en cada lugar por donde iban pasando las preguntas y las respuestas eran idénticas:

—¿Qué sucedió?

—Casi matan a Tarzán y a uno de sus hombres.

—¿Quién fue?

—El doscientos doce, Sotomayor.

—¿El jovencito ése?

—El mismo.

A las seis de la tarde no se hablaba de otra cosa en la prisión. La sorpresa general se debía no sólo al hecho de que Tarzán parecía invencible, sino también a que la persona que le había propinado semejante paliza era el estudiante universitario que todos consideraban como un cobarde endeble y sin carácter. Chucho y Enrique tampoco podían creerlo.

—¿Te sacaron de aquí a las malas? —le preguntó Enrique por enésima vez caminando por la celda de un lado para el otro.

—Me arrastraron hasta las duchas.

—¿Y el cabrón quería violarte?

—Eso dijo, sí.

—El rumor es que el tipo va a estar en el hospital por lo menos una semana.

—¿Sabes algo del otro? —preguntó Samuel.

—Tiene los dos brazos enyesados y no se sabe si recupere el ciento por ciento de su movilidad.

—Esas lesiones son graves y demoradas —comentó Chucho desde la cama.

—¿Pero cómo diablos hiciste para darles semejante tunda tan berraca? —preguntó Enrique sonriente.

—Ya te dije que es entrenamiento. Uno sabe cuáles son los puntos claves donde tiene que golpear. En los torneos aprendes mucho también.

—Ahora sí nadie se va a meter contigo —dijo Chucho poniéndose de medio lado en la cama.

—Ni el propio Tarzán va a volver a acercarse a ti —afirmó Enrique sin dejar de moverse inquieto de un rincón al otro de la celda.

Samuel se acercó entonces al cuarentón, le puso una mano en el hombro y le dijo en tono confidencial:

—Necesito preguntarte algo, Enrique.

—Lo que sea, dime.

—¿Tienes buenos contactos afuera?

—Para qué.

—Dime si puedes conseguirme una información.

—Qué clase de información.

—Dirección, teléfono, nombre de la mujer y de los hijos, si los tiene, horarios, cosas así.

—De quién.

—Bueno, ¿puedes o no puedes?

—Según de quién estemos hablando.

—De Moncada.

—¿Moncada? ¿Y qué tienes que ver tú con ese güevón?

—Él le pagó a Tarzán por el trabajito.

—¿Cómo lo sabes?

—Presioné a Tarzán al final para que me lo dijera. Le pagó cincuenta mil pesos.

—Y qué piensas hacer con la información.

—Nada, tranquilo. Sólo necesito los datos.

—Listo, te los tengo en menos de una semana. Pero no te vayas a meter en más líos.

—Gracias, Enrique.

Cumpliendo con su palabra, cuatro días más tarde Enrique le dio las indicaciones de Moncada (una casa en un barrio de clase media, una buena mujer, dos hijas adolescentes) y le advirtió que tuviera mucho cuidado con él.

—¿Por qué? —preguntó Samuel mientras anotaba los datos en un papelito diminuto para memorizárselos.

—Es un tipo corrupto hasta los tuétanos.

—De quién recibe plata.

—De todo el mundo. Está vinculado con los paramilitares, tiene una investigación por colaboración en un genocidio de campesinos en el Magdalena Medio, y las organizaciones de derechos humanos lo tienen fichado hace rato. Para rematar, es uno de los principales enlaces del Cartel de Medellín y ellos le pagan una mensualidad para que cuide y proteja a sus hombres aquí en la cárcel.

—No sabes cómo te agradezco.

—Es bastante peligroso. Ten cuidado.

Samuel esperó la oportunidad precisa, y tres días después, cuando acudía a una cita que le habían programado en las oficinas para preguntarle si quería alfabetizar a un grupo de presos de otro patio, se encontró cara a cara con Moncada en uno de los corredores. El jefe de guardianes era un indio de estatura media, recio, cetrino y acostumbrado a pararse frente a los demás con ademanes y poses castrenses. Estaba solo y prefirió hablar primero para que no se le notara la turbación:

—Doscientos doce, qué bien encontrármelo porque quería hablar con usted.

—Qué casualidad, a mí me pasa lo mismo.

—He escuchado rumores que aseguran que fue usted el que golpeó a los dos hombres en las duchas.

—¿Eso dijeron ellos?

—No se haga el imbécil, usted sabe que aquí nadie denuncia a nadie. Pero mis fuentes son fidedignas.

Samuel se hizo más cerca aún y acentuó el poder de su mirada:

—Si entre los dos hay alguno que se esté haciendo el imbécil, ése es usted, se lo aseguro.

Moncada recibió la afrenta sin descomponerse. Echó la cabeza hacia atrás y dijo:

—No sabe a quién le está hablando. Bájele a ese tonito.

—Usted le pagó a Tarzán cincuenta mil pesos para que hiciera conmigo lo que le diera la gana.

—¿Ah sí?

—El propio Tarzán me lo dijo. La próxima vez contrate hombres que no suelten la lengua tan rápido.

—Usted se me está volviendo un problema, Sotomayor. Está muy crecidito.

—Déjeme tranquilo y listo.

—Yo no recibo órdenes suyas. Es mejor que se cuide.

—¿Me está amenazando?

Moncada subió el tono de la voz ligeramente, sin sobreactuarse:

—Y si lo estoy amenazando, ¿qué? Se le olvida, mariconcito, que aquí el que manda soy yo.

—Todos tenemos un punto débil.

—No me diga.

—Estoy hablando de Luz Dary, por ejemplo, de sus cursos de artesanía y de pintura en porcelana, de lo buena esposa que es, tan abnegada, tan pendiente de usted y de las dos niñas. Me pregunto, sólo por curiosidad, sin maldad, ¿cómo quedaría ella después de que tres o cuatro tipos le hicieran lo que Tarzán y sus hombres me iban a hacer a mí? ¿Se imagina, Moncada? Los exámenes de embarazo y de enfermedades venéreas. Qué vergüenza. La reconstrucción del ano y las hemorroides. El tratamiento psicológico de por vida. Qué horror. ¿Qué dirían las niñas de ver a su mamá en ese estado?

Samuel midió el golpe: Moncada había quedado sin aire y estaba con conteo de protección. Era mejor rematarlo de una vez y ganarle por *knock out*. Se acercó un paso más y le dijo en secreto:

—Oiga bien, pedazo de hijueputa, detrás de mí hay más de trescientos hombres listos para atacar. Si me llega a pasar algo, aunque sea sólo quebrarme una uña, va a tener que reconocer los cadáveres de sus tres mujercitas por la dentadura. Se las vamos a dejar como para una salsa boloñesa.

—Espere, Sotomayor...

—No las va a salvar de nosotros ni mandándolas a vivir a Singapur —continuó hablando como si alguien los estuviera espiando.

—Espere... —el tipo le puso una mano en el hombro en actitud conciliadora.

—¿Quiere un buen consejo, Moncada? —regresó a la entonación normal y le guiñó un ojo al uniformado—. Haga billete mientras esté aquí con este cargo, prepáreles un buen futuro a Alice y a Jenny, disfrute con su familia, viaje, ahorre. Pero no se vuelva a meter conmigo, hermano, porque todo ese paraíso se le va a convertir en un infierno, y dudo que usted aguante lo que le tenemos preparado.

—Espere... —la mano lo agarró en una actitud suplicante.

—Hasta luego, Moncada —dijo él quitándose la mano con facilidad.

Y siguió de largo sin escuchar las explicaciones del jefe de guardianes. Sabía que el tipo había quedado anonadado y con la cabeza dándole vueltas. Estaba seguro de que no volvería a intentar agredirlo.

Por esos días tuvo otra entrevista en la que fue necesario mantener también una posición resuelta y enérgica, sin vacilaciones. El segundo escolta de Tarzán, el que había salido ileso, se acercó a él en el patio y le dijo:

—Tenemos que hablar, doscientos doce.

—De qué.

—Le conviene, maestro.

—Hable ya.

—Vamos allí donde nadie nos escuche —le sugirió el hombre señalándole una zona vacía.

Samuel aceptó y caminó unos metros vigilando de cerca los movimientos del guardaespaldas. No creía que el tipo fuera capaz de una emboscada, pero era mejor estar atento y mantener los ojos bien abiertos.

—Dígame ya lo que tiene que decirme.

—El puesto de Tarzán está libre.

—No sé de qué está hablando.

—Aquí se mueve mucha plata, maestro. Tarzán era el jefe de tres patios. Todos los presos que están solos, que no pertenecen a ninguna organización grande, tienen que pagar una mensualidad. Aquí nada es gratis.

—¿Y?

—Tarzán quedó fuera de servicio. Parece que va a tener que usar una muleta por lo menos durante un año. Le van a operar la rodilla. El otro está todavía peor. Con los dos brazos enyesados tendrá que alimentarse por un pitillo.

—Nada de eso me importa.

—Digámonos la verdad, maestro: sí le importa. Como le digo, el puesto está libre. Usted me nombra su principal lugarteniente, me da una comisión y yo cobro las deudas y cuido que nadie lo coja por la espalda.

—Así como hizo con Tarzán.

—Eso fue otra cosa, maestro. Usted ganó en franca lid, como dicen. No hubo nada torcido.

—No, hermano, gracias.

—¿Me está diciendo que se queda por fuera del negocio?

—Exacto, quédese como jefe siempre y cuando no se meta conmigo ni con mis amigos.

—¿Es un trato, maestro? —el matón, radiante, con una sonrisa de mafioso próspero que tiene en mente la utilidad de todos sus negocios, le tendió la mano.

—No quiero saber nada de nada —Samuel le estrechó la mano con fuerza.

—Me encargaré personalmente de que nadie lo vaya a joder, maestro. Palabra.

Al poco tiempo, recién salido del hospital, Tarzán fue apuñalado mientras se duchaba. Lo cogieron con los ojos llenos de jabón, ciego, sin poder saber quién era el que lo estaba despachando al otro mundo. El hombre que contrataron para hacerlo se cuidó, sin embargo, de que su víctima no tuviera la más mínima posibilidad de repeler el ataque: amarró una hoja metálica bien afilada al palo de una escoba y, sin acercarse nunca al cuerpo del otro, utilizando su arma improvisada como si fuera una lanza antigua, lo tajó una y otra vez hasta que lo vio caer y quedarse inmóvil en el charco de su propia sangre. La muleta quedó recostada contra una de las paredes, salpicada de rojo, como testimonio de la incapacidad física que había conducido a Tarzán hasta la muerte.

Más tarde el crimen de su primer escolta demostró también una sevicia salida de lo normal. Lo amordazaron, le rompieron las dos piernas a la altura de las rodillas, le quitaron el yeso que tenía en los brazos (hay que imaginarse la escena: un hombre inútil que no puede mover ninguna de sus cuatro extremidades) y lo violaron en repetidas ocasiones. El dictamen del forense aseveró que los agresores habían sido más de diez. Luego le abrieron el cuello y lo desangraron como si fuera un cordero antes de ser llevado al asadero. Lo encontraron desnudo sobre un banco de cemento, boca abajo, con la cabeza colgando en el vacío. En el suelo, rozando los mechones de cabello del occiso, había quedado un balde repleto hasta el borde con la sangre espesa del que en vida se había ufanado de ser el hombre de confianza de Tarzán.

El nuevo líder fue apodado la Bestia y pronto ejerció dominio sobre los territorios que estaban a cargo de su anterior jefe. Samuel se tropezó con él un día en el patio y lo saludó en un tono amistoso y sarcástico:

—Veo que se quitó de encima a la competencia.

—No había de otra, maestro. Así son las cosas aquí.

—Y cómo van los negocios.

—Prosperando, doscientos doce.

—Me alegro.

—Quería felicitarlo —dijo la Bestia esbozando una ligera sonrisa.

—Por qué.

—Hay órdenes desde arriba de que nadie se meta con usted. No sé cómo hace, pero sus contactos son efectivos.

—No tengo contactos.

—Con esa orden, más la protección mía, puede estar seguro de que no se le acercará ni su ángel de la guarda.

—Ese era el trato, ¿no?

—Ése era y ése sigue siendo, maestro.

Uno de los nuevos encargados de seguridad de la Bestia se acercó a él y le susurró unas palabras al oído. Él asintió y el hombre se retiró.

—Otra cosa, Sotomayor: hay alguien que quiere hablar con usted.

—¿Conmigo?

—Yo quedé de arreglar la cita.

—Ya le dije que no quiero saber de nadie.

—No son negocios, tranquilo.

—Dígale que no me interesa.

—Está en otro patio. Es una persona especial, maestro, un anciano. Yo puedo cuadrar para que los guardianes lo dejen pasar de un patio al otro sin molestarlo.

—Gracias, pero no.

—Usted tiene fama también de ser un intelectual, maestro, una persona culta y educada. Este hombre del que le estoy hablando sólo quiere charlar con usted un rato.

—No me interesa, hermano.

—Él me dijo que la biblioteca de la cárcel era una mierda, que aquí sólo había basura. Me encargó que pusiera a su disposición la biblioteca de él.

—Cómo así.

—El hombre está rodeado de libros en su celda, maestro. Dice que tiene obras que a usted le pueden interesar.

—¿Se está burlando de mí?

—Mire, Sotomayor, hagamos una cosa: hable con el hombre unos minutos, nada más. Si no se siente bien, se larga y listo.

—Qué interés tiene usted en todo esto.

—Hágalo como un favor personal. Yo sabré retribuírselo, maestro.

—No me ha respondido la pregunta.

—El hombre es Ezequiel Martínez Salcedo.

—Y qué hay con eso.

La Bestia suavizó el tono de su voz y explicó:

—Es mi padre. Lleva catorce años preso por estafa, contrabando y robo a mano armada. El viejo es un personaje, maestro. Se la pasa entre sus libros todo el día. No tiene con quién hablar de sus vainas. Le llegaron con el cuento de que usted es un intelectual, un tipo brillante. Por eso quiere conocerlo.

Samuel recordó la expresión de la cara de su padre en ráfagas instantáneas que iluminaron su cerebro. Lo vio una tarde recostado en la biblioteca hojeando las páginas de un volumen empastado en cuero. Pasaba las hojas con una delicadeza conmovedora, como si estuviera acariciando el papel, como si no se encontrara frente a un libro sino frente a una mujer cuyos encantos físicos lo tuvieran atontado e indeciso. Apenas vio a su hijo asomando las narices por la sala y el comedor, lo llamó con un gesto de la mano y le dijo:

—Ven, acércate.

Samuel caminó unos pasos hasta quedar muy cerca de él.

—Estaba pensando justo en ti —le comentó ese hombre de unos treinta y cinco años que lo miraba con los ojos enternecidos y llenos de afecto.

—Por qué, papá.

—Ya es hora de que te leas un gran libro.

—¿Sí? —preguntó el niño intuyendo que ese préstamo era un acto simbólico que lo acercaría más a su pro-
genitor.

—Creo que te llegó la hora de leer algo grande, algo
que te abra las puertas del conocimiento.

—Como qué —dijo el pequeño, expectante, solícito.

—¿Sabías que en la antigüedad los héroes tenían una
religión diferente de la que tenemos nosotros hoy, una religión que los obligaba a ser fuertes y valientes?

—No señor.

—Era el paganismo, Samuel, una religión de muchos
dioses que acompañaban a los guerreros y a los navegantes en sus guerras y sus aventuras.

—¿Muchos dioses?

—Sí, dioses del aire, del océano, de la tierra, del
amor. Los hombres tenían prohibido humillarse y ponerse de rodillas. Tenían que dar lo mejor de sí y esforzarse
al máximo siempre y en toda circunstancia.

—¿Cómo se llama el libro que me vas a prestar?

—La *Odisea*.

Entonces ese hombre, que más adelante sería asesinado por sus más arraigadas convicciones, extrajo de la
biblioteca un ejemplar que cambiaría de manera definitiva la vida de su hijo, ese ejemplar para niños ilustrado
con dibujos a plumilla con el que Samuel haría la primera comunión con tanto orgullo y tanta altivez.

—No te lo presto, hijo, te lo regalo. Es la historia de
Ulises, uno de los más importantes héroes de la Antigüedad, un soldado y navegante que combatió durante diez
años a sus enemigos y que después tuvo que aventurar

168

durante otros diez años antes de poder regresar a la isla donde lo esperaban su esposa y su hijo.

El niño recibió el libro con los brazos extendidos y las manos abiertas, con ademanes solemnes, casi religiosos. El padre sonrió y le acarició la cabeza hundiéndole los dedos abiertos entre el cabello desordenado.

Esos fueron los recuerdos que le llegaron a Samuel cuando la Bestia le confesó que el misterioso hombre de la biblioteca privada que deseaba hablar con él era su padre. Cambió de opinión enseguida y le dijo al matón con seguridad, secamente:

—Está bien, iré a hablar con el viejo.

—No se arrepentirá, Sotomayor.

—Cuándo es la cita.

—Puedo arreglarla para mañana mismo.

—A qué hora.

—Después del almuerzo hay un guardia que no pone problemas.

—Dónde nos vemos.

—Espere a la salida del comedor. Uno de mis hombres lo conducirá.

—Ahí estaré.

—Y gracias, maestro. Le debo una.

No se dieron la mano ni se despidieron. Cada cual se dio la vuelta y se dirigió en busca de sus respectivos amigos. Apenas lo vio acercarse cabizbajo y melancólico, Enrique le preguntó:

—¿Qué era lo que quería ese cabrón?

—Nada, quiere que yo conozca a un tipo de otro patio.

—No estarás metiéndote en problemas, ¿no?

—¿Y aceptaste? —le preguntó Chucho encendiendo un cigarrillo Pielroja.

—Sí, voy a ir mañana después del almuerzo.

—¿Qué tal que sea una trampa? —comentó Enrique poniéndolo a la defensiva, advirtiéndolo.

—No lo creo.

—Te estás metiendo en la boca del lobo —dijo Chucho aspirando el humo de su cigarrillo con los ojos entrecerrados y expulsándolo muy lentamente por la nariz.

—No son negocios ni nada por el estilo. Es un asunto personal.

—Peor todavía —aseguró Enrique torciendo la cabeza hacia un lado—. Ya sabes con qué clase de malparido estás tratando. Recuerda lo que les hizo a sus amigotes. Imagínate lo que te tendrá reservado a ti.

—No creo que pase nada, tranquilos.

—Tú verás —le dijo Chucho concentrado en su cigarrillo, ido, con ese aire de plácida ausencia que rodea a ciertos fumadores.

—No va a pasar nada, no se preocupen —repitió él calmándolos y al mismo tiempo agradeciéndoles su actitud vigilante y prevenida.

En las horas de la noche, viajando entre el humo de la marihuana que llegaba hasta él desde las celdas vecinas y que lo hacía sentirse ligero, aéreo, incorpóreo, Samuel evocó en repetidas ocasiones la imagen de su padre siempre junto a la biblioteca o recostado por ahí con un libro entre las manos. Leía de todo: literatura, historia, filosofía, crónicas periodísticas, ensayos de sociología, y su pasión por la lectura era tan desmedida, tan salida de control, que también, sin ningún reparo ni vergüenza, dedicaba largas horas a leer *best sellers*, novelas de espionaje y de vaqueros, y libros de actualidad de bajo perfil que los periódicos y las revistas recomendaban. Era un lector voraz, una de esas personas que han logrado suplantar la realidad inmediata por la realidad que encuentran en los libros, y que, en consecuencia, los convierte en seres interdimensionales que están y no están, que viven su cotidianidad como si no estuvieran del todo presentes en lo que hacen, como si una parte de ellos se hubiera quedado atrapada en unas coordenadas indescifrables y desconocidas.

Una tarde este hombre, para quien los libros eran su pasión más auténtica y sincera, pasó un brazo por el hombro de su hijo y le dijo señalándole los distintos estantes de la biblioteca:

—Las personas te pueden mentir, hijo, engañar, robar o traicionar. Los libros jamás. En momentos difíciles acude a ellos y búscalos. No te defraudarán.

Antes de dormirse en el rincón que le correspondía en la celda, ya con los párpados pesados y sellados por el sueño, Samuel se dijo que su padre parecía un adepto a una religión ya desaparecida o un monje dedicado a un culto antiguo que ya nadie recordaba, y alcanzó a preguntarse dónde estarían todos esos volúmenes que había coleccionado con un ardor que rayaba en el fanatismo.

Al día siguiente, a la hora convenida, después del almuerzo, cruzó los controles que separaban los diferentes patios de la prisión y comprobó, en efecto, que la Bestia no le tenía reservada ninguna trampa. Don Ezequiel lo esperaba en su celda muy bien vestido, con su biblioteca ordenada con meticulosidad desde el piso hasta el techo, con una pulcritud difícil de hallar en un antro como ésos donde imperan el desorden, la inmundicia y los malos olores. Era un viejo de unos sesenta años de edad, de estatura mediana y barba blanca, corpulento, macizo, como si lo hubieran esculpido en un material compacto y consistente de excelente calidad. Sus ojos eran de un verde marítimo, coralino, y dejaban entrever una personalidad abierta y generosa. Lo saludó sin formalidades de ninguna clase, con un fuerte abrazo, como si fueran viejos amigos.

—Te hice venir porque la biblioteca de la cárcel es una mierda y estos miserables se niegan a invertir plata en ella. He enviado no sé cuántas cartas a la Dirección de Prisiones y al Ministerio de Educación, y nada, seguimos tan jodidos como al principio —le dijo sonriéndose, como si fuera un niño confesando una travesura hecha a espaldas de sus mayores.

La conversación se desarrolló con fluidez desde el comienzo. Hablaron de autores que a ambos les encantaban, de escenas de libros que eran difíciles de olvidar, de anécdotas, de fechas, de chismes literarios, citaron de memoria los primeros renglones de sus novelas preferidas y Samuel llegó al extremo de recitarle al viejo en inglés algunos versos extraídos de las obras de Shakespeare que él había aprendido durante sus años de colegio en Estados Unidos. El anciano, conmovido y a punto de echarse a llorar, le dijo:

—Mi biblioteca tiene una falla.

—Cuál, don Ezequiel.

—Sólo tengo libros en español porque yo no hablo otro idioma.

—Eso no importa.

—Nunca aprendí, es una lástima.

—No es tan grave.

—Ahora que te escuché recitando a Shakespeare en el original sentí una emoción tremenda. Se percibe la música del autor, su ritmo particular y propio.

—Eso sí es verdad.

—Por qué no hacemos un trato.

—Dígame, don Ezequiel.

—Ven a visitarme dos o tres veces por semana. Puedes llevarte de aquí lo que quieras. Sólo te pido un favor: enséñame inglés.

Samuel no podía creer lo que estaba escuchando: un hombre que en la recta final de su vida quería seguir aprendiendo, que estaba dispuesto a invertir horas y horas en estudiar otra lengua, que se negaba a conformarse con lo que ya sabía, que en las condiciones más adversas, condenado a vivir en el agujero más asqueroso y privado de su libertad personal, deseaba modificar la posición de su lengua y de sus labios para emitir nuevos sonidos que rebautizarían su mundo tanto interior como exterior. Era admirable.

—Claro, don Ezequiel, será un placer —le contestó Samuel dándole una palmada amistosa en la espalda.

—Otra cosa, Sotomayor.

—Qué.

—¿Usted escribe?

—No señor.

—Me gustaría que le echara un vistazo a un manuscrito.

—¿Suyo?

—Es de un amigo a quien estimo mucho. Ya lo conocerá. Se llama Carlos Bahamón.

—Que no sea poesía, don Ezequiel. No soy bueno para opinar sobre el tema —aclaró Samuel reconociendo que ese género exigía unas cualidades como lector que él no tenía.

—Es una novela. Yo creo que es muy buena, pero no estoy seguro.

—No soy un especialista, don Ezequiel, acuérdese.

—Lo que él necesita no son críticas especializadas, sino saber si el libro cautiva a los lectores o no, si los atrapa, si les comunica una verdad.

—Sobre qué trata.

—Él se dedicó durante años a vagabundear por ahí entre cantinas y bares de mala muerte. Mantenía unos trabajos que le daban para sobrevivir, pero su vida real era estar atento, mirar, registrar en la memoria cada historia y cada personaje que iba conociendo. Sin embargo, no hacía nada, no escribía una sola palabra, dejaba pasar los años entre las calles roñosas y sórdidas del centro de la ciudad, enterándose de todo, olfateando, untándose de la miserable condición humana. ¿Entiende de qué le estoy hablando?

—Por supuesto, don Ezequiel.

—Un día Bahamón se dio cuenta de que nadie conocía mejor que él esa zona, su gente, su temperatura en medio de la desgracia, su desesperanza. El problema era que él, como la arquitectura y los personajes del sector, se había envejecido, le habían salido canas y ya estaba con dolores y achaques en todo el cuerpo.

—Qué hizo entonces.

—Delinquió a sabiendas de que lo iban a atrapar. Le robó una plata a un conocido.

—Qué tiene que ver eso con la literatura, es absurdo.

—Necesitaba un espacio como éste para comenzar a escribir. Aquí no paga arriendo, no tiene que estar pendiente de los recibos de servicios, y la comida, mala o buena, es segura. Y lo más importante: está lejos de esas calles y de esas personas que quiso con locura.

—Cómo así.

—Recuerda lo que dijo Camus: «Hay un tiempo para vivir y hay un tiempo para escribir». Y cuando estás escribiendo, lo que haces en realidad es acercarte amoro-samente a aquello que tienes retirado y que no puedes atrapar. No hay arte sin distancia.

—Así que aquí escribió por fin el libro que tenía pendiente.

—Sí, está muy feliz. Y no es para menos. Por eso quiero que leas el libro y que después lo conozcas a él.

—En ese orden.

—Sí, en ese orden.

—Como usted diga, don Ezequiel —dijo Samuel sintiendo hacia el viejo un cariño repentino.

—Te lo agradezco mucho.

—Si el libro es tan bueno como usted piensa, seré yo el que se lo agradezca.

Así nació la amistad más importante que tuvo Samuel en la cárcel durante muchos años. Al principio sus compañeros de celda criticaron su proximidad con la gente de la Bestia. Les parecía inconveniente y descabella-do guardar cercanía con una horda de salvajes que tenía semejantes antecedentes. Enrique le dijo una noche ira-cundo:

—¡Pero qué diablos es lo que tienes tú en la cabeza!

—No veo cuál es el problema —dijo él levantando los hombros.

—Ese es el problema, que estás ciego, que no ves ni la punta de tus narices, que no entiendes, que andas por ahí de patio en patio como si esto fuera un centro co-mercial.

—No he hecho nada, Enrique.

—A ti todo hay que explicártelo mil veces. Los hombres de la Bestia son hampones, asesinos, criminales de la peor calaña. Tú lo sabes mejor que cualquiera, no te hagas el idiota.

—Yo no tengo relaciones ni negocios con la banda de la Bestia.

—Sí los tienes, no lo niegues, no vengas aquí a lavarte las manos y a poner cara de ángel. Él mueve sus contactos para que tú cambies de patio dos veces por semana, te saluda como si fueran íntimos, eres amigo personal de su padre, le hiciste a un lado a la competencia y lo elevaste prácticamente al nivel de líder supremo. ¿Tú crees que nos puedes meter los dedos a la boca? No hagas el papel de imbécil porque no te queda.

—Bueno, ya, suficiente —intervino Chucho y calmó los ánimos para que la discusión no pasara a mayores.

—Después, cuando los enemigos de esa rata se nos echen encima, no digas que no te lo advertí —remató Enrique señalándolo con el dedo índice de la mano derecha en alto.

Poco a poco, en la medida en que la tertulia literaria de don Ezequiel, Bahamón y Samuel se hizo reconocida dentro de la cárcel, los demás reos empezaron a respetar a estos tres hombres que enviaban cartas a los periódicos denunciando la falta de una biblioteca decente, de cursos y de profesores especializados, de máquinas de escribir y, en general, la negligencia de un sistema carcelario que no creía en la redención de los reclusos. Las respuestas a las cartas fueron tímidas e insignificantes. Pero cuando Bahamón ganó el Premio Nacional de Novela (don Ezequiel y Samuel habían corregido el original suprimiéndole apartes sosos y escritos a la ligera, depurando el estilo y puliendo la narración hasta convertirla en un torrente de lenguaje dúctil, flexible y lleno de plasticidad) y los periodistas entraron en la penitenciaría en busca de la gran noticia con cámaras fotográficas, grabadoras de bolsillo y videograbadoras que iban registrando en vivo y en directo al nuevo escritor, las respuestas por parte de las instituciones del Estado fueron de otro calibre. Donaron una buena cantidad de libros que les permitió organizar una biblioteca de consulta permanente, abrieron cursos, seminarios y talleres para los presos, y la Primera Dama, haciendo gestiones ante la empresa privada, logró recoger quince máquinas de escribir eléctricas que fueron el origen de una sala de mecanografía que iría perfeccionándose en los meses y años por venir.

Bahamón estaba feliz con su galardón. Cuando se enteró por el periódico de que él había sido el ganador, se puso a llorar como un niño, arrodillado en el piso, gimiendo, ahogado de emoción. Sintió en un solo segundo que tantos años de silencio y de reflexión, caminando de calle en calle, no habían sido en vano. Don Ezequiel y Samuel lo abrazaron al tiempo, como si fueran jugadores de un equipo de fútbol o de baloncesto, y él, limpiándose las lágrimas de los ojos, les dijo con la respiración entrecortada:

—Lo que me parece increíble es que entre ustedes y yo hayamos sido capaces de transformar ese borrador, esos bocetos, en una novela real.

A partir de ese momento nadie en la prisión dudó de las buenas intenciones de los tres intelectuales que un día se levantaban hablando de guerreros griegos o persas; al otro, de artistas adictos al opio, y al tercero estaban recitando en inglés páginas enteras que, al pasar por el corredor, ningún prisionero comprendía. La población carcelaria era consciente de que las mejoras y los cambios más notables de los últimos tiempos se las debían a ellos tres.

En la sala de televisión, en 1985, todos los prisioneros vieron cómo el grupo subversivo m-19 se había tomado el

Palacio de Justicia, y las transmisiones especiales y en directo mostraron a los militares entrando a sangre y fuego a lo que ya eran unas ruinas inservibles. Más tarde se supo que algunos trabajadores de la cafetería del Palacio, que habían salido en buenas condiciones hasta el Museo Veinte de Julio, habían sido detenidos por los militares para ser interrogados, luego torturados y finalmente desaparecidos. Samuel siguió de cerca las noticias y vio en ellas la sombra tenebrosa de la Brigada Especial. En efecto, a partir de 1986 empezó un exterminio sistemático de dirigentes de izquierda en Colombia. Al lado de miles de simpatizantes de la Unión Patriótica (partido político respaldado por la guerrilla de las Fuerzas Armadas Revolucionarias de Colombia), mataron también a candidatos a la Presidencia de la República, como Jaime Pardo Leal, Bernardo Jaramillo y Carlos Pizarro. El narcotráfico, unido a poderes estatales, cerraba totalmente las opciones de la izquierda en el país. Samuel procuró informarse lo mejor que pudo y se dio cuenta de que al lado de una narcopolicía, de un narcoejército y de unos narcoparlamentarios, la guerrilla también ingresaba a la lista y se convertía en narcoguerrilla. Aparte de explotar a fondo el nuevo y jugoso negocio, de actuar como mafiosos que exhiben sus camionetas lujosas, sus centros de recreación y sus amantes escandalosas, los líderes guerrilleros se dedicaron a extorsionar y a secuestrar todo tipo de ciudadanos, dos prácticas abominables. Donde ejercían su dominio, lo hacían por medio del terror.

Samuel percibió que los colombianos se fueron quedando en poco tiempo sin figuras políticas a quienes admirar y sin un bando que les brindara la seguridad de la decencia. Todos los niveles sociales empezaron a contaminarse por la droga, y la cárcel, por supuesto, no escapó de esta nefasta influencia.

***

Así fueron pasando los años para Samuel, entre los periódicos y las revistas que traían las noticias de un mundo ahora distante, los libros, las máquinas de escribir de la sala de mecanografía, sus amigos de celda y de tertulia y los alumnos que asistían a tomar clases con él para validar el bachillerato, pues la ley autorizaba rebaja de penas por estudio y buen comportamiento. En el juicio que se le llevó a cabo por el atentado contra Altamirano y sus soldados lo condenaron a treinta y cinco años de prisión. No le importó. Fue un dato más, una cifra en medio de una vida que ya no extrañaba la realidad exterior. En cierta medida, la cárcel era para él una especie de retiro voluntario, como si hubiera decidido alejarse de la humanidad para ingresar en un monasterio y dedicar todas sus energías a la meditación y la lectura. Las autoridades encargadas del allanamiento de su apartamento en La Macarena nunca le regresaron sus objetos personales ni sus pertenencias. Los decomisaron con el argumento de que hacían parte de la investigación.

Sin embargo, a los cinco años de estar encarcelado, una carta lo sacó de ese ensimismamiento y le abrió las heridas del pasado dejándole las costras rasgadas y cubiertas de sangre. El guardia de turno le entregó un sobre sucio y arrugado que traía pegadas en el borde superior derecho unas estampillas maltrechas en las cuales no se podía leer el país de origen. Samuel esperó a estar solo en la celda, abrió el sobre, desplegó una hoja de papel de cuaderno escrita con una letra que le era familiar y empezó a leer un par de párrafos que decían así:

Samuel,

he esperado varios años para escribirte estas palabras que lo único que buscan es recordarte todo el daño que has hecho. Después de tu visita de buen samaritano a la clínica donde estaba interna Araceli Rodríguez, los organismos de seguridad se lanzaron sobre nosotros y empezó una cacería despiadada cuyo objetivo era exterminarnos uno a uno. Nos defendimos como pudimos. No fue suficiente. Desmantelaron la organización, torturaron a varios de nosotros y a los otros los asesinaron con una precisión metódica y sin errores. Fui de los pocos miembros que lograron escapar. Me escondí aquí y allá durante tres años en bodegas húmedas y malolientes, en ranchos miserables, en talleres de mecánica y en casas de personas humildes que me prestaban su ayuda por dos o tres semanas. Finalmente no pude seguir exponiendo vidas ajenas y me quedé en la calle. Tuve que trabajar de aseadora, de mesera, de vendedora ocasional. Los tombos me pisaban los talones y no me dejaban en paz. Una noche, muerta de hambre, desesperada, acepté trabajar en un cabaret. Me fui acostumbrando a acostarme de vez en cuando con uno que otro cliente. Así conocí a una mujer que me ofreció venir a trabajar a Ciudad de Panamá. Yo sabía que estaba metida en trata de blancas, pero la otra opción era quedarme y terminar con un tiro en la nuca. La señora me dijo que en uno o dos años podía recoger el dinero para montar un negocio decente, salirme del oficio y empezar una nueva vida. Acepté. Cambié por completo mi apariencia personal y salí del país con documentos falsos. Aquí, en Panamá, apenas llegamos nos encerraron con llave en un putiadero de lujo y nos obligaron a recibir entre quince y veinte clientes al día. Intentamos fugarnos varias veces y fallamos. Entonces nos cortaron el pelo casi rapadas y nos sacaron toda la dentadura. De día parecíamos momias o cadáveres recién exhumados de sus tumbas. Estuvimos a punto de volvernos locas. En las noches nos ponían pelucas multicolores, cajas de dientes hechas a la medida, y nos maquillaban con destreza para que los clientes no sospecharan nada. Y a la madrugada nos quitaban la peluca y la caja de dientes y volvíamos a convertirnos en zombis otra vez.

Esa ha sido mi vida. Y no dejo de pensar ni un solo día en que todo lo que me ha pasado ha sido culpa tuya. Te sobrevaloré. Creí que eras un tipo inteligente y capaz. Pagué muy cara la confianza que deposité en ti. Sé que la organización quiso eliminarte en la cárcel un par de veces y que no pudo. Quién sabe qué artimaña montaste ahora para engañar a los demás y cuidarte la espalda. Eres un ser despreciable y asqueroso. Un traidor. Antes de suicidarme, porque ya no puedo más, me he asegurado de que esta carta te llegue hasta la penitenciaría donde estás recluido. Te deseo lo peor. Eres una mierda, un hijueputa completo. Ojalá sufras bastante antes de morir.

Constanza

Estas palabras lo hicieron pedazos y lo condujeron con el paso de los días a una depresión crónica. Se hundió en unas profundidades que desconocía, en unos socavones interiores donde jamás entraba la luz y el aire era escaso. Cada vez que se sentía un poco mejor, aliviado, con algo de esperanza, volvía a releer la carta de Constanza y su espíritu caía de nuevo a esas cavernas psíquicas en las que las tinieblas impedían ver cualquier asomo de ilusión. Lo que más daño le hacía era ver semejante nivel de odio y de desprecio. Se imaginaba la cotidianidad de Constanza durante los últimos años como un verdadero infierno, huyendo, sin dormir, acorralada, perseguida de día y de noche. La permanente zozobra y la intranquilidad, unidas a ese final desesperado e inhumano, la habían llevado a escribir una página tan brutal, tan llena de rabia y de resentimiento. Y si quería ser honesto consigo mismo, era necesario aceptar que Constanza tenía la razón. ¿Qué era él? Un traidor, un joven inmaduro que había arrastrado a otros a calabozos militares donde seguramente los torturaron hasta verlos descompuestos, suplicando, con los ojos desorbitados e inyectados de sangre. Luego, sin la menor duda, los hicieron ponerse de rodillas y les dispararon en la nuca. ¿Qué se les habría pasado por la mente justo en ese momento, cuando sintieron el cañón del arma rozándoles los vellos diminutos de la nuca? Era el colmo lo que él había hecho, no tenía perdón.

Esa fue quizás la peor época que tuvo en la cárcel. Le costó mucho trabajo acostumbrarse a cargar una culpa intensa y agotadora que lo hacía recriminarse desde la madrugada hasta el anochecer. Cuando estaba en las duchas, en el corredor o en la biblioteca, le llegaban de repente esas frases cargadas de rencor y de deseos de venganza. «Pagué muy cara la confianza que deposité en ti. Eres un ser despreciable y asqueroso. Eres una mierda, un hijueputa completo. Ojalá sufras bastante». No obstante, sin que él mismo tuviera una explicación clara para ello, la idea de suicidarse no se le pasó por la cabeza ni una sola vez. Se echó su pesada carga al hombro y aprendió a caminar con ella sin quejas ni lloriqueos.

***

Ese mismo año, los noticieros de radio y televisión anunciaron la muerte del candidato presidencial Luis Carlos Galán en las afueras de Bogotá, en Soacha. Las versiones oficiales le endilgaron el crimen al Cartel de Medellín, pero en la cárcel todo el mundo sabía que había unos dirigentes políticos que estaban detrás de la orden y que esos nombres nunca saldrían a la luz pública. En una celda del mismo patio de Samuel recluyeron a un tipo de apellido Hazbún, que era el principal sospechoso del crimen de Galán. Un hombre inocente que agarraron para ocultar a los verdaderos asesinos y que se la pasaba caminando por el penal con las manos en la espalda, triste, sin saber cómo defenderse ni limpiar su nombre. Un tiempo después saldría libre y se moriría de física melancolía.

A partir de entonces la cárcel fue un reflejo de lo que pasaba afuera, en el país en general. Fue imposible detener el auge de la cocaína y de la heroína, cuyos dividendos eran extraordinarios. Todos los bandos en conflicto se armaron hasta los dientes, mintieron a diestra y siniestra, masacraron a quienes no pensaban como ellos, se lucraron con los dineros de la droga, tergiversaron información y compraron a la Justicia para que nadie en el país supiera qué era lo que estaba pasando en realidad. No había buenos y malos. Eran bandos corruptos amenazando, torturando y matando a la población civil. Cuando Samuel vio en la televisión a Joe Toft, el jefe de la CIA en Colombia, renunciando a su cargo y afirmando que el país estaba gobernado por una narcodemocracia, la frase le pareció demoledora. Los dirigentes políticos, los periodistas, los sacerdotes y los intelectuales salieron a rasgarse las vestiduras, pero el tiempo le daría la razón a Toft.

***

Un aspecto de su vida que le causó problemas desde el comienzo, y que se agravó con el paso de los meses y los años, fue el sexual. Nunca había sido muy propenso a los placeres de la carne, pero tenía que reconocer que las relaciones con Constanza y con Rosario le habían proporcionado un equilibrio emocional que era difícil de hallar en medio de la abstinencia o de la masturbación. El sexo era un regulador que lo dejaba animado, con el genio alegre y confiado en el futuro. Así que el único favor que le pidió a la Bestia en todos sus años de reclusión fue ése, que lo dejara hablar con una de las muchachas que solían vender sus servicios para la visita conyugal.

—Con cuál quiere hablar, doscientos doce.

—Con la de los jeans ajustados, la pelinegra.

—No se preocupe por la plata, maestro, estas mujeres me deben favores.

—No quiero deberle nada a usted.

—Tranquilo, maestro, relájese. Yo estaba en deuda, con este cruce quedamos a mano.

—No me venga después con historias raras.

—Deje de ser tan prevenido, Sotomayor. Yo no soy imbécil, yo sé que usted quiere estar al margen, y a mí eso me conviene, maestro. Siga en su cuento con la biblioteca y yo sigo en el mío. Y si te vi no me acuerdo.

La Bestia dijo la última frase sonriéndose, pasándose un palillo de un lado al otro de la boca. Finalmente subrayó su buena voluntad apuntando:

—Fresco, maestro, ya se la llamo.

La joven en cuestión tenía un nombre de cantante, Maritza (un nombre falso, quizás), y a los pocos minutos de conversación le dijo a Samuel:

—Tú no eres como los demás.

—Por qué.

—Se te nota la buena clase.

—No será tan buena desde que estoy aquí —replicó él con cierta amargura en el tono de la voz.

—Qué fue lo que hiciste.

—No importa. ¿Nos vemos entonces la próxima semana?

—Claro que sí, mi amor.

—No me vayas a fallar.

—Ni más faltaba. Contigo hasta el fin del mundo —y le estampó un beso en la boca a manera de despedida.

Maritza resultó ser una amante cariñosa y apasionada. Desde la primera cita se entregó a él por completo abriéndole las puertas de su intimidad sin pudor, ofreciéndole su cuerpo como quien se abandona en medio de un trance o de un sueño erótico del que no se quiere despertar. Samuel notó que él le gustaba de verdad, que no lo hacía sólo por dinero, que se sentía atraída y seducida. Eso facilitó la relación y los convirtió rápidamente en cómplices y camaradas que cada siete días se encontraban para practicar una gimnasia sensorial que los dejaba satisfechos y complacidos. Sin embargo, a los dos años Maritza se despidió insinuándole que no pensaba volver nunca más a la cárcel. Una tarde, mientras se vestía y se arreglaba el cabello, afirmó con sequedad:

—La próxima semana no puedo venir.

—Por qué.

—Me voy fuera de Bogotá.

—Nos vemos entonces en dos semanas.

—Es un viaje largo.

Samuel la observó adivinando qué era lo que escondía más allá de las apariencias, penetrándola con la mirada hasta descubrir los oscuros propósitos que la regían. Le dijo con ternura:

—Te estás despidiendo definitivamente.

—No lo sé, mi amor —la voz de la joven sonaba débil y un tanto fingida, como si estuviera haciendo un gran esfuerzo por demostrar un aplomo que en realidad no tenía.

—No tienes que darme explicaciones. Estás en tu derecho.

—¿Me estás odiando?

—Eres libre, yo no puedo retenerte.

Samuel se acercó a ella, la abrazó con una suavidad que la hizo estremecer y le dio un beso en la mejilla.

—Gracias por todo. Sin ti no habría podido aguantar.

Entonces Maritza empezó a llorar y tuvo que sentarse en el borde de la cama para que las piernas no la traicionaran.

—Tengo que alejarme. Me enamoré de ti —dijo agarrándose la cabeza entre las dos manos.

Samuel prefirió ahorrarse una despedida peor y salió del cuarto de visitas conyugales con la doble sensación de estar haciendo daño y de ser maltratado, una sensación que ya había vivido en el pasado y que no sabía por qué se había repetido. ¿Por qué dos seres que se aman se hieren y terminan alejándose para poder sobrevivir? ¿Son el dolor y la desdicha componentes ineludibles en toda relación amorosa? Samuel no lo sabía, pero sí estaba seguro de que para él la creación de vínculos amorosos había sido siempre el comienzo de una separación que tarde o temprano los dejaba a él y a la otra persona chapoteando en la decepción y el abandono.

Con las mujeres que vinieron después de Maritza no quiso intimar, las dejó en el plano de la amistad y del placer, y se negó a entrar en esa dinámica de falsas posesiones y pertenencias que son, al final, las generadoras del padecimiento afectivo. Descubrió una verdad que estaba en la raíz de muchas religiones antiguas: quien no posee no sufre. Se trataba de no agarrarse, de no depender, de no depositar el sentido de la vida en el otro. Y eso fue lo que hizo. Los resultados fueron muy positivos y pudo compartir sin angustiarse, sin mentir y, lo más importante: sin culparse.

***

En 1994, la cárcel volvió a alborotarse con el asesinato del senador Manuel Cepeda Vargas. A los pocos días, las noticias afirmaban que miembros del Ejército Nacional estaban implicados en el crimen. Y en 1995 mataron frente a la Universidad Sergio Arboleda a otro líder político: Álvaro Gómez. Por primera vez, Samuel vio que los medios de comunicación hablaban de una Brigada Especial y de su desmantelamiento, aunque sus integrantes seguían vinculados a la institución en otras dependencias. Algunos de esos hombres habían sido encargados de matar a Gómez. Los tentáculos del Estado seguían asesinando en la sombra.

Samuel creció, maduró y se hizo hombre tras las rejas. Estudió literatura gracias a un programa de universidad a distancia y escribió su tesis sobre la novela de Zalamea, *4 años a bordo de mí mismo*. En ese trabajo se empeñó en demostrar la importancia del libro, su contemporaneidad, su sorprendente visión del cuerpo y la injusticia sin límites que había practicado el establecimiento cultural al apartarla y relegarla al olvido. Samuel descubrió que Zalamea había sido víctima de la pacatería y la mojigatería inquisitoriales de una sociedad bogotana que siempre se había acuartelado en su doble moral, defendiendo, según ella, la decencia y las buenas costumbres. Cualquier manifestación del pensamiento en la que se hablara con franqueza del cuerpo y sus deseos era de inmediato tildada de vulgar y pornográfica. Eso era lo que habían hecho con el autor de *4 años*, y Samuel, en su monografía, afirmó que esa misma sociedad enferma era la que había cerrado las puertas de la democracia refugiándose en el Frente Nacional, es decir, en la previa repartición del poder entre los conservadores y los liberales. Afirmó que una sociedad que le tiene miedo al cuerpo es una sociedad que le tiene miedo a la libertad. El problema es que al negar el eros se multiplica el tánatos, y ese país reprimido terminó bañándose en un mar de sangre. Para Samuel, la novela del colombiano señalaba el otro camino, el del libre albedrío, la osadía y la espontaneidad. Era una manifestación de salud que el país, dominado por hipócritas, onanistas y sotaneros, no supo comprender.

Samuel obtuvo la máxima calificación y se graduó con honores. Celebró con Bahamón y con el viejo Ezequiel, quienes habían sido sus colaboradores y sus primeros lectores. Sin embargo, dos sucesos empañaron la celebración: la muerte de Chucho a la mañana siguiente por un paro cardíaco, y el diagnóstico de cáncer de hígado que le hicieron en unos exámenes médicos a don Ezequiel tres días después.

—No le digas nada a nadie, y menos a mi hijo —le advirtió el anciano con el sobre de los exámenes todavía en la mano.

—¿Pero van a hacerle algún tratamiento? —preguntó Samuel negándose a aceptar una noticia semejante.

—No vale la pena, está muy avanzado.

—No puede ser.

—Es normal, ya tengo mis años encima.

—¿Le dijeron cuánto tiempo le queda? —esta vez Samuel se mordió el labio inferior, consciente de la gravedad de la pregunta.

—Tres meses, más o menos —dijo don Ezequiel con resignación y sin dramatismos.

Entonces Samuel se dio cuenta de los años que había compartido con él, de las clases de inglés, los libros, las traducciones, la novela de Bahamón, su tesis, tantos sueños y proyectos que sin saberlo habían ido llenando el miserable tiempo de la cárcel hasta hacerlos olvidar de una verdad dolorosa que todos callaban con cierta complicidad: que no eran más que unos reclusos atrapados en un antro despreciable e inmundo. La amistad y el ejercicio de una voluntad creadora habían construido alrededor de ellos un mundo cerrado y compacto en el que la esperanza, aún, era posible. Lejana, enterrada quizás, escasa, pero posible. Y ese milagro se debía a ese viejo terco y soñador que cada semana iniciaba nuevos planes con un entusiasmo desbordante, como si fuera un adolescente hiperactivo con toda una vida por delante.

—¿Por qué me miras así? —le preguntó don Ezequiel levantando las cejas y abriendo los brazos—. Todavía no me he muerto.

—¿Puedo preguntarle una cosa?

—La que quieras.

—Usted está preso pero parece no darse cuenta. ¿Cómo hace?

—Tú sabes la respuesta, hombre: una biblioteca es un ojo siempre abierto al universo. Leer es una de las infinitas formas de la libertad.

—Usted no sabe todo lo que yo le debo…

—No me hables en ese tono. Ya te dije que todavía no me he muerto.

189

—Lo siento.

Samuel pensó: «Uno no sabe cómo comportarse decentemente ante la muerte. Es difícil hallar la actitud correcta y adecuada».

—Más bien hablemos de otra cosa —dijo don Ezequiel acercándose al corredor para constatar que ningún soplón andaba husmeando por ahí.

—Dígame.

—Tengo que hablar contigo de un asunto muy serio.

Y como si estuviera subido en la tarima de un escenario representando una obra de teatro (preparada con la ingenuidad de un colegial que asiste al examen final de la materia de arte dramático), el viejo comenzó a hablar en ese inglés con acento santandereano que tanta gracia le causaba a Samuel. Esta vez también le pareció divertido escuchar esa pronunciación que machacaba las letras y las vocales como si estuviera dando órdenes en una finca de Socorro o de San Gil, pero cuando puso atención a lo que esas palabras estaban diciendo la sonrisa desapareció de su boca y el semblante se le transformó en una mueca de preocupación.

—... es un sitio impresionante. Detrás de ti está el desierto, enorme, amarillo, hirviendo, infinito. Al frente está el mar, gigantescas cantidades de agua que llegan a la playa y la acarician rítmicamente, un espacio azul oscuro en el que se pierden los ojos hasta la línea del horizonte. Y arriba un cielo transparente desde el cual un potente sol te ilumina y te da toda la vida que necesitas. Es una experiencia impresionante estar parado ahí con los brazos abiertos y sentir que naces de nuevo, que estás listo para lo que sea, que has llegado al mundo por segunda vez. Qué iba yo a saber que el operativo de mi captura estaba listo para ocho días después de ese momento tan mágico —hablaba sin dejar de moverse, nervioso, abriendo los ojos y manoteando en el aire como si el personaje que estuviera representando así lo exigiera—. Si mis propios hombres no me traicionan, no me habrían agarrado ni de fundas.

—¿Me está diciendo que debo ir a ese lugar a dejar sus cenizas?

—Pensé que no estabas entendiendo ni jota. Yo sé que hablo fatal en inglés.

—Pero es que...

—Pero es que nada. Lo importante aquí es que no abras la boca y que memorices bien lo que te voy a decir. Y te lo voy a decir en español para que no haya dudas.

—No sé si deba...

—Tú eres la persona indicada —volvió a interrumpirlo el viejo—. No tengo a nadie más en quien confiar. No quiero que mis cenizas se queden aquí, entre rejas. Sería el colmo que después de muerto siga preso. Por favor. Llévame hasta ese punto y lánzame a los cuatro vientos. Alguna parte de mí llegará hasta la orilla, el viento me arrastrará hasta el mar y con suerte navegaré hasta otros continentes en medio de tormentas y aventuras de las que nadie se enterará jamás.

—Pero su hijo...

—Mi hijo es ese gánster de pacotilla que ya conocemos y que no saldrá de aquí en su puta vida —don Ezequiel subió el tono de la voz y se expresó con indignación enfureciéndose ligeramente—. No nos digamos mentiras. Él tiene su vida armada en este cuchitril y está amasando una fortuna. Le va mejor aquí que allá afuera. ¿Qué va a hacer él con mis cenizas? Dejarlas por ahí a un lado, como si fueran un estorbo.

—No sé... —Samuel sintió que la cabeza le daba vueltas.

—Bueno, dejémonos de pendejadas. ¿Puedo confiar en ti o no?

—Pero es que...

—Te voy a hacer una pregunta y respóndeme con sinceridad: ¿somos amigos o no?

Por un instante Samuel tuvo la impresión de estar repitiendo un acontecimiento vivido con anterioridad, como si en un pasado remoto e inescrutable, tal vez en una vida anterior con otro rostro y otra identidad, don Ezequiel le habría preguntado exactamente lo mismo. Y él, por supuesto, respondió también lo que ya sabía que iba a responder:

—Claro que sí.

El viejo sonrió con malicia y subió un poco el tono de la voz:

—¿No me encargarías tú a mí una misión semejante?

—Supongo que sí —dijo Samuel sintiendo de repente una ligera depresión.

—Entonces dejemos de joder y vamos al grano.

Arrastrando las palabras como un niño que lee en una cartilla la lección ante la clase entera, don Ezequiel le explicó que barcos de banderas variopintas echaban sus chalupas al agua a pocos kilómetros de la costa guajira y, atiborradas de contrabando, llegaban a pequeños poblados del norte, como Carrizal, El Cardón o Alpiruhu, de donde era remitida la mercancía por tierra a los principales mercados de Maicao y Riohacha, y de allí al resto del país. Enlatados, ropa, cigarrillos, chocolates, electrodomésticos, todo era transportado en las horas de la noche a través del desierto por conductores de camiones cuya lealtad había sido ya comprobada. Las ganancias eran incalculables y alcanzaban para enriquecer a las cadenas de trabajadores que participaban en el negocio, desde los cargadores hasta los comerciantes mismos que vendían los productos en sus tiendas y almacenes.

—¿Alcanzó a hacer fortuna, don Ezequiel? —preguntó Samuel incrédulo, dudando por un segundo de las palabras del viejo.

—Si contaba el dinero en miles de dólares, imagínate lo que tenía en los bancos y en los negocios de Maicao y de Santa Marta. Qué tiempos...

Samuel vio un destello de vigor y de alegría en los ojos del antiguo contrabandista. Lo imaginó con veinte o treinta años menos recorriendo la península armado, bronceado por el implacable sol guajiro, dando órdenes a los hombres que componían su banda, bebiendo ron en las parrandas vallenatas y rodeado de morenas espectaculares que le quitarían el aliento a cualquiera.

—¿Y es fácil de hallar ese lugar?

—Es un sitio deshabitado, no hay casas ahí. Es territorio sagrado para los indios.

—En este país nada está a salvo, ni siquiera los espacios sagrados —opinó Samuel.

Don Ezequiel le dijo que lo primero que tenía que hacer era llegar hasta una ranchería llamada Umarahu, muy cerca de Bahía Portete, entre los arroyos Movasirró y Chikepu. Y tenía que hacerlo sin llamar la atención, como cualquier turista del interior del país que está recorriendo la región con su mochila al hombro y su cámara fotográfica lista para retratar una puesta de sol o una indígena wayúu.

—En las afueras de la ranchería nace un camino que desemboca en el mar de Bahía Portete. A los cinco kilómetros exactos de Umarahu, yendo por ese camino, hay una curva denominada Las Tres Hermanas. Son en realidad tres cactus gigantescos que están en línea recta y que los vas a ver con facilidad a mano izquierda de la trocha. La leyenda dice que son tres mujeres que fueron convertidas en cactus como castigo por sus pecados y sus malas andanzas. Están ubicadas en un terraplén que conduce a la playa. Debes ubicarte exactamente en el cactus que está en la mitad, mirar hacia el mar y tirar las cenizas al viento. No tiene pierde. Hazte acompañar por alguno de los muchachos de la zona, le pagas unos pesos, tomas fotos y te haces el güevón. Luego te quedas solo y me dejas en libertad.

—Esto es increíble, don Ezequiel.

Samuel se acercó a él y lo estrechó entre sus brazos con fuerza sintiendo un cariño enorme, mucha admiración y la tristeza de su muerte inminente al mismo tiempo. Un rectángulo de luz iluminaba la celda de una manera misteriosa, mágica, como si ambos pertenecieran a una estampa religiosa que representara la despedida de dos personajes bíblicos. Samuel alcanzó a pensar: «El padre y el hijo, Noé construyendo el arca con Sem, Cam y Jafet, Abraham e Isaac, el retorno del hijo pródigo a casa, Jesús en la cruz gritando de dolor y de desolación en el último minuto: "Padre, Padre, ¿por qué me has abandonado?"».

En efecto, como lo había sospechado Samuel, el abrazo que le dio a don Ezequiel ese día fue un adiós y el comienzo de una separación que terminaría un mes más tarde con el cuerpo amarillento del viejo sobre una de las frías losas de la morgue. Durante esas cuatro semanas había repetido hasta el cansancio las instrucciones recibidas. Umarahu. Las Tres Hermanas. El cielo, el mar y el desierto. La muerte y la libertad.

Bahamón y él quedaron con una sensación de orfandad que intentaron apaciguar entregándose por completo a las clases y al préstamo de libros, que iba creciendo día a día y de patio en patio. La biblioteca de la cárcel y la de don Ezequiel se fundieron en una sola y conformaron una buena colección que permitía, al menos, contrarrestar en parte el vacío, la estulticia y la impotencia que rodea a los presos en el sofocante ambiente de la cárcel. Samuel, por orden previa del viejo, recibió de las directivas de la cárcel la urna con sus cenizas después de la cremación. La puso en la biblioteca en un lugar especial, en una pequeña repisa con un vidrio que la protegía.

Enrique recibió un indulto político y fue liberado. Bahamón cumplió su sentencia y regresó a una vida que ya no le satisfacía y en la que no sabía cómo comportarse ni en qué trabajar. Ocasionalmente los dos le escribían largas cartas en las que se percibía con facilidad, desde los primeros renglones, que no eran felices y que afuera se sentían como dos especímenes raros recién llegados de otro planeta. A la Bestia lo asesinó su principal guardaespaldas en el baño mientras defecaba. El cadáver quedó con los pantalones abajo, sentado en el retrete y con un corte en la garganta que iba de oreja a oreja. Los guardias tuvieron problemas para el levantamiento del cuerpo, pues el olor a orina, a sangre y a materias fecales los hacía vomitar a cada segundo. El nuevo jefe mandó llamar a Samuel a su celda y le dijo con arrogancia, envalentonado:

—Que quede claro que ahora mando yo, brother.

—Estoy a cargo de la biblioteca —explicó Samuel con la voz reposada pero con la mirada fija en los ojos del otro—. Es lo único que me interesa.

—¿Piensa tomar venganza o qué, doscientos doce?

—La Bestia no era mi amigo.

—Pero su padre sí.

—El viejo se murió de cáncer. Nadie tiene la culpa de eso.

—De ahora en adelante, brother, si quiere un favor, tiene que pagar por él.

Samuel dio un paso hacia adelante y bajó la voz para que los matones del nuevo líder, que estaban esperando en el corredor, no lo escucharan:

—Ponga atención a lo que voy a decirle, pedazo de hijueputa. No pienso pagarle ni a usted ni a nadie ni un solo centavo. Y arreglemos esto de una vez por todas. Vamos al patio, usted y yo, sin armas y sin amigos, como dos hombres. Que sobreviva el mejor.

El tipo se puso pálido, se pasó la lengua por los labios y perdió los aires de superioridad con los que había iniciado la entrevista. Samuel le dio el golpe de gracia:

—Me he despachado a muchos que eran más duros que usted.

Un silencio tenso y agobiante rodeó la atmósfera del recinto. Samuel se dio cuenta de que tenía que dejarle una salida decente al nuevo caudillo. Se echó para atrás un par de pasos y propuso:

—La otra opción es que me deje a cargo de la biblioteca. Yo no quiero problemas ni me interesa meterme en sus asuntos. Ya le dije que tampoco pienso vengar a nadie. Usted en lo suyo y yo en lo mío.

—Pero si quiere servicio de nenas, tiene que pagar por él, brother. Porque si no, la gente va a empezar a hacerme preguntas y yo qué les digo.

—Tengo un par de amigas que vienen a verme. No creo que tenga que pagar por su amistad.

—Pero si le llega a gustar otra, tiene que aflojar billete.

—De acuerdo.

—Así me gusta, brother, que las cosas queden claras.

El nuevo trato dejó a Samuel instalado en el único puesto que le interesaba: la biblioteca. Con el paso del tiempo la nueva banda que gobernaba la prisión notó que él era un cero a la izquierda, un fantasma, un recluso hecho de humo, un alma en pena que andaba siempre por los pasillos con los brazos cargados de libros. Preocuparse por un individuo así era ridículo.

***

En 1999 mataron al humorista Jaime Garzón, y Samuel leyó en los periódicos y escuchó en las noticias que el autor intelectual era Carlos Castaño, líder de los ejércitos paramilitares. Las autoridades se apresuraron a capturar a los supuestos culpables materiales del homicidio. Mentira. Alias Bochas era un muchacho asustadizo, tímido, muerto de pánico, que más adelante quedaría libre y se demostraría que los mismos organismos de seguridad habían montado todo un *show* (como en el caso de Galán), seguramente para encubrir a los verdaderos culpables.

Samuel leyó en las revistas y en los diarios que el país estaba descuadernado, a la deriva. Muchos ciudadanos, entonces, salieron a pedir mano fuerte, un gobierno recio que rescatara el orden y las leyes. Sin embargo, a Samuel esa tendencia le parecía peligrosa. El problema no era que el Estado hubiera sido débil, sino que había sido corrupto y asesino, mafioso y genocida. El crimen de sus padres, entre muchos otros, era una prueba irrefutable. Y él se preguntaba en las horas de solaz que tenía en la biblioteca: «Si el Estado ha sido criminal y torturador en medio de la debilidad, ¿qué no haría en medio de la fortaleza?». Para Samuel, lo importante no era que fuera más fuerte, sino que fuera menos corrupto y más transparente. Su verdadera grandeza no radicaba en las medidas extremas de seguridad, sino en la honestidad y la dignidad que hasta entonces no había mostrado. Todo el tiempo, en la biblioteca, en los patios de la cárcel o en el comedor, Samuel se repetía mentalmente lo mismo: «Un Estado fuerte que mantiene una democracia sólida es un Estado limpio, no un Estado militarizado».

Estas ideas, por supuesto, Samuel no las compartía con nadie, pues le habrían podido costar la vida. En realidad detestaba tanto a los seguidores de la tesis de un gobierno fuerte como a los que continuaban respaldando las acciones demenciales de la guerrilla. Y el problema era que los bandos no permitían posiciones neutrales. Todo el mundo tenía que alinearse en un lado o en el otro. Samuel prefería optar por los que estaban en el centro, por la población civil que se levantaba a trabajar honradamente, desarmada, y que seguía aguantando las embestidas mafiosas de instituciones corruptas y de subversivos megalómanos. Rumiaba sus pensamientos en silencio, para sí, sosteniendo de esa manera, aunque fuera débilmente, un solitario y silencioso cordón umbilical con la realidad del país.

De esta manera, en un continuo monólogo y viviendo entre las páginas y los barrotes, Samuel terminó su condena y una mañana le comunicaron en las oficinas de la cárcel que su orden de salida sería emitida una semana más tarde. Había sido recluido en 1984, y por rebajas de pena y buena conducta lo habían soltado diecisiete años después, en 2001. Era extraño pensar que había pasado media vida encerrado como un monje en una abadía y que su único contacto con el exterior habían sido los periódicos, los noticieros de televisión y las breves conversaciones que mantenía con sus dos amigas durante las visitas conyugales. El resto de su vida lo había invertido en los libros, en ordenarlos, clasificarlos, reseñarlos, protegerlos y cuidarlos del saqueo y el vandalismo de manos inescrupulosas que, de vez en cuando, solían arrancarle las páginas, rayarlos, mojarlos e incluso despedazarlos. Y ahora, de repente, como por arte de magia, tendría que separarse de ellos y enfrentar ese mundo caótico y vertiginoso que lo estaba esperando allá afuera, un mundo con el que jamás había podido entablar una amistad confiable y duradera.

El día de su salida llevaba una maleta deportiva en una mano con dos mudas de ropa, algunos libros y los utensilios de aseo personal, y en la otra, abrazada, como si fuera un tesoro, resplandecía la urna que las directivas de la cárcel le habían dado con las cenizas de su amigo. Era el 11 de septiembre de 2001 y todo el mundo, desde las primeras horas de la mañana, estaba pegado a los televisores viendo cómo los aviones se estrellaban contra las Torres Gemelas y se incendiaban.

Cuando las puertas de la prisión se abrieron, una voz gritó:

—¡Prisionero doscientos doce, libre!

Levantó los ojos al cielo, abrió los brazos y se engolosinó con el viento húmedo que le refrescaba las fosas nasales, con la magnífica visión de las montañas bogotanas, con las nubes, con los árboles, con el césped, con un perro callejero que pasó corriendo y con los primeros seres humanos libres con los que se tropezó en esa caminata inverosímil que lo fue alejando poco a poco de los muros, de las garitas y de las puertas de seguridad de la penitenciaría.

Lo primero que hizo fue tomar un bus y cruzar la ciudad hasta los Jardines del Recuerdo, el cementerio en el que estaban enterrados sus padres y que jamás había querido visitar. Un funcionario con un listado en la mano lo condujo amablemente hasta las lápidas donde estaban grabados los nombres de sus progenitores con sus fechas de nacimiento y de defunción. El hombre siguió su marcha por el camposanto revisando los servicios de aseo y limpieza. Samuel se quedó solo frente a las dos tumbas, de pie, con la bolsa de lona en una mano y la urna de madera con las cenizas del viejo Ezequiel en la otra. El sol le daba en un ángulo de cuarenta y cinco grados y le calentaba la cara y el cuello. Dos o tres pájaros revoloteaban en un árbol cercano.

Se estremeció al leer los nombres de sus padres en letras doradas y, como si una fuerza inconsciente hubiera pulsado algún botón en su interior para hacerlo revisar su pasado en un solo instante —un instante revelador y cargado de epifanías—, comprendió que toda su vida no había sido más que una lucha desaforada y sin cuartel contra la culpa que desde siempre había sentido por no haber podido ayudar a sus padres el día en que los militares entraron en su casa para asesinarlos. La soledad, la pretendida guerra política, el atentado, la visita a Araceli Rodríguez, su vida como Efraín Espitia y como fugitivo de la Justicia, sus años de prisión, todo era un largo camino para acallar y silenciar esas voces interiores que lo señalaban con el dedo y que habían dado su veredicto («¡culpable!») desde el mismo momento en que él halló los cadáveres baleados de sus padres. Por eso no se había querido defender durante el proceso, porque necesitaba ser condenado para purgar una culpa más vieja, más pesada de cargar y más destructiva que venía haciéndole daño desde niño. Entonces se puso de rodillas y estalló en un llanto que le hizo temblar las manos mientras dejaba caer la maleta entre las dos tumbas.

—No pude ayudarlos, perdón, no fue mi culpa —dijo entre sollozos.

Las lágrimas de Samuel cayeron sobre el pasto y lo humedecieron como si fueran gotas de rocío. Los minutos pasaron y él se fue vaciando por dentro, limpiándose lentamente, buscando, sin lograrlo aún, el perdón y el indulto, escuchando cómo las voces de esos jueces interiores iban bajando el tono de sus ataques pero no desaparecían por completo. Luego se puso de rodillas y salió del cementerio.

Capítulo VIII

EL VAGABUNDO

Lo primero que sintió Samuel viajando en bus por las calles de la ciudad fue extrañeza: por un lado, Bogotá había cambiado de manera notable, estaba más ordenada, los parques y las zonas verdes resaltaban entre los barrios, el sistema de transporte se había modernizado y por todas partes iba gente a estudiar o a trabajar desplazándose en bicicleta por las ciclorrutas. Algo de eso había leído en los periódicos y revistas que llegaban a la cárcel, pero verlo directamente y estar ahí, metido en una ciudad que ya no era una adolescente irresponsable y alocada sino una joven aguda que buscaba preocupada su destino, lo sorprendió y le hizo sentir de un solo golpe los diecisiete años que había estado en prisión. Recordó que en 1984, cuando era profesor de literatura y se llamaba Efraín Espitia, los vendedores de libros y discos de segunda tenían sus casetas pintadas de rojo distribuidas a todo lo largo de la avenida 19, que las carreras 11 y 15 eran ambas de doble vía, que la avenida Caracas era un caos de buses y busetas que no respetaban ninguna norma de tránsito, y que el mercado de San Victorino era un laberinto de vendedores populares que ofrecían a los viandantes desde collares de oro puro hasta cucharas de palo. Nada de eso existía ahora, en el año 2001. Los vendedores ambulantes habían desaparecido, líneas de buses modernos que sólo se detenían en sus correspondientes estaciones construidas con metal y vidrio brillantes daban a la avenida Caracas un aire futurista, y grandes centros comerciales sobresalían por sus estructuras lujosas y sus diseños originales. Sin embargo, cuando descendió del bus en el centro de Bogotá y empezó a caminar hacia el Sur, se dio cuenta de que la miseria de una gran parte de la población seguía allí, intacta, y que la horda de harapientos, desempleados y mendigos trashumantes continuaba rezumando el mismo resentimiento y la misma pesadumbre de siempre.

Por otro lado, Samuel se sintió extraño también al estar metido entre una multitud: le pareció curioso el roce con otros cuerpos, la forma como lo miraban los demás al descubrir su ropa pasada de moda y la urna funeraria que cargaba bajo el brazo, y era evidente que mientras todo el mundo llevaba un rumbo fijo, él no sabía adónde dirigirse y deambulaba de calle en calle despistado, confundido, mirando aquí y allá sin acostumbrarse todavía a la libertad, deteniéndose donde no debía —a la entrada de los almacenes o en las cebras de las esquinas— y caminando torpemente.

Su único capital eran cincuenta mil pesos que había recogido un grupo de presos que lo estimaba, y sabía que con esa cantidad no sobreviviría más allá del tercer día, buscando un hotelucho de mala muerte y comiendo en restaurantes populares el menú más barato que ofrecieran en esos carteles callejeros cuya ortografía daba la impresión, a veces, de no estar leyendo en español, sino en rumano o en noruego. En una cafetería pidió una gaseosa, se sentó a ver la gente pasar y recordó las cartas de Bahamón y de Enrique, ésas en las cuales escribían sobre su falta de adaptación a un sistema que estaba pensado en términos económicos y productivos, cuando la vida de la cárcel era ocio, recogimiento e introspección. Nadie en la cárcel tenía la presión de ser exitoso, de sobresalir en el trabajo, de conseguir con urgencia lo del arriendo y el mercado, o de llamar la atención de los jefes para buscar un traslado o un ascenso. Afuera, en cambio, al que no podía demostrar su talento y sus capacidades lo hacían a un lado y terminaba ingresando en la gran masa anónima de esclavos asalariados sin oportunidades ni privilegios. Desde sus primeras horas como hombre libre, Samuel tuvo la impresión de que no iba a poder hacer parte de esa sociedad de la que había estado alejado durante diecisiete años. Se sentía a años luz de esos hombres y mujeres que pasaban apresurados frente a él, y por un momento se dijo que parecía un apestado, un leproso cuya enfermedad lo obligaba a guardar distancia y a esconderse para no mortificar a sus congéneres.

Pagó la gaseosa y siguió caminando hacia el Sur por la carrera Décima. Un atardecer rojizo daba a las edificaciones un ambiente sobrenatural, onírico, como si la ciudad hubiera ingresado en una dimensión fantasmagórica. Se detuvo en la calle Primera con la carrera Novena y leyó en un letrero unas palabras borradas a medias: «Residencias Media Luna». Era una casa a punto de desplomarse, polvorienta y con las paredes descascaradas. Una cuarentona rechoncha y malencarada le informó que la noche costaba cinco mil pesos que tenía que pagar por adelantado, y que había un baño comunal al fondo del patio. Samuel no dijo nada. Puso un billete de cinco mil encima de una mesa sin pintar que hacía de mostrador y esperó que la mujer lo condujera a la habitación. Se sentía cansado y lo único que deseaba era cerrar los ojos y dormir. Su primer día de libertad no le había parecido gran cosa. No tenía grandes planes, no quería rehacer su vida y salir adelante, no sabía a quién dirigirse para conseguir un empleo, y lo peor de todo era que no tenía ganas de hacer nada, una espesa atmósfera de amargura y desidia lo tenía enterrado en una depresión permanente. Lo mejor era arrojarse en una cama y olvidarse del mundo por unas buenas horas.

La gorda se quedó mirando la urna y le preguntó:

—¿Qué lleva ahí?

—Las cenizas de mi padre.

—¿Tiene certificado de cremación?

Samuel asintió. Ella aclaró:

—No quiero problemas con la justicia.

—No se preocupe. Tengo todo en orden —afirmó Samuel apretando aún más la cajita de madera.

Atravesaron un corredor oscuro hasta un cuarto donde el olor a humedad indicaba que el techo tenía goteras que dejaban, seguramente, las paredes húmedas y el piso lleno de charcos. Samuel agarró una llave que la mujer le tendió, cerró la puerta con seguro, puso la maleta y la urna sobre una mesa de noche de madera barata y se tiró sobre la cama con la cabeza enterrada en la almohada.

Soñó que llevaba muchos años viviendo en una ciudad que era y no era Bogotá, una ciudad que parecía más bien el lado oscuro de Bogotá, su rostro más feo y desagradable, una ciudad atiborrada de mendigos, gamines y pandillas de jóvenes hambrientos que recorrían las calles por las noches con cadenas, navajas y revólveres metidos en los pantalones. Él caminaba por esa Bogotá que había sido invadida por un cuarto mundo violento y miserable, y pensaba en Robinson Crusoe, en una isla perdida en la inmensidad de un océano azul, refrescante y cristalino. Estaba harto de todo: de la pobreza, del ruido, del embrutecimiento general, de la necesidad, cada vez más apremiante, de conseguir dinero como fuera y a cualquier precio. No, pensaba Samuel dentro del sueño, con él no iban a funcionar esas tácticas de desgaste y acorralamiento. Él pensaba escurrir el bulto, fugarse y dejarlos a todos plantados con sus miserias a cuestas y sus largas listas de desventuras haciéndoles daño sobre sus hombros maltrechos y fatigados. Ese era su plan: escapar hacia una vida en contacto permanente con la naturaleza, lejos, donde la estupidez humana tuviera pocas posibilidades de alcanzarlo. Se trataba de seguir los pasos del viejo Robinson, pero haciendo una pequeña variación en el argumento: impedir que Viernes desembarcara en sus playas vírgenes e inconmensurables. No quería testigos que llegaran a torpedear la perfecta construcción de su tranquilidad. Los hombres eran animales dañinos que todo lo contaminaban a su paso, seres inmundos que era preferible tener lejos. De pronto volteó una esquina y se tropezó con una mujer negra que le sonrió. Samuel le preguntó:

—¿Quién eres?

—Soy Viernes —contestó ella sin dejar de sonreír—. Te estoy esperando en la isla y nada que llegas. Apúrate.

Abrió los ojos y por un segundo creyó que estaba en la cárcel. Extrañó los ruidos que hacían los carceleros en sus relevos de guardia. Recordó que estaba en una pensión del barrio Las Cruces, que estaba totalmente solo en el mundo y que no sabía qué hacer con su vida.

Afuera, en la calle, una mujer y un hombre discutían a los gritos. Cerró los ojos y siguió durmiendo.

Al día siguiente, Samuel entregó la llave, salió de la pensión y caminó por la carrera Décima hacia el Norte hasta llegar a la calle 11, pidió un café con leche y un pan recién salido del horno en una cafetería donde varios trabajadores desayunaban de afán antes de dirigirse a sus empleos, y luego subió a la plaza de Bolívar y se quedó mirando el nuevo Palacio de Justicia en el costado norte de la plaza. Se sentó en las escalinatas de la Catedral y puso la maleta y la urna a su lado. Sabía que tenía que irse de Bogotá, sentía la ciudad como una entidad gigantesca que lo rechazaba y lo aplastaba, pero era consciente también de que aún no era el momento para hacerlo. Necesitaba recoger algo de dinero para el viaje. Miró la urna con las cenizas del viejo y se dijo que el primer objetivo, por supuesto, sería La Guajira, iría exactamente al lugar que le había indicado y lo dejaría libre entre el mar y el desierto. Después no estaba seguro de nada. No quería trazarse una ruta definitiva, dejaría que la propia vida fuera diseñando su camino. Se le ocurrió que su relación con Bogotá parecía la de dos amantes caprichosos que al principio se adoran y que con el paso del tiempo llegan a aborrecerse. Pensó en esos individuos que desean separarse y que, sin embargo, no lo hacen de inmediato, de manera abrupta y radical, sino que esperan con paciencia el momento indicado para comunicar su partida definitiva. Esos individuos van acumulando poco a poco razones y motivos que justifiquen aún más la separación y el abandono. Cada disgusto, cada discusión, cada ataque de mal genio son un kilómetro más en ese largo camino hacia la libertad. Van asesinando sus afectos con lentitud pasmosa, con seguridad, casi con sevicia.

Y el día en que deciden partir no miran hacia atrás, no escuchan, no se conmueven, no sienten nostalgia ni melancolía cuando cierran la puerta de la que ha sido su casa y su hogar. Sencillamente ya no son ellos, se han transformado en otros. Y no regresan jamás.

Samuel vio una bandada de palomas volar desde el campanario de la catedral, arriba de él, hasta el centro de la plaza. Empezaban a llegar los vendedores ambulantes con sus chalecos fosforescentes que los acreditaban como tales y los fotógrafos con sus máquinas instantáneas buscando turistas y parejas que se quisieran retratar con la Alcaldía o el Palacio de Justicia al fondo. Se quedó inmóvil en las escalinatas, y algunos mendigos de oficio lo miraron con recelo, como si fuera un competidor que estuviera pensando en disputarles la clientela. La verdad es que Samuel estaba ensimismado, lo acongojaba el tipo de relación que estaba llevando con su propia vida a la salida de la cárcel: la dejaba agonizar sin prestarle los primeros auxilios, la veía en sus últimos estertores y no quería tirarle una mano ni ayudarle en lo más mínimo. Al contrario: su defunción lo satisfacía y lo agradaba. Lo único que permitiría su auténtica realización sería su parálisis perentoria y determinante. Así que, mientras el hombre que él había sido tanto en su pasado próximo como en el cercano se convertía en cadáver, caminaría por las calles al azar, ojearía los periódicos en los puestos de revistas y comería cualquier menú barato en esos restaurantes populares del centro donde era difícil respirar debido al pegajoso olor de las frituras.

Se levantó, cogió la maleta y la urna de madera, y ascendió por la calle Décima en busca de las casas antiguas y coloniales del barrio La Candelaria. Hacía frío y un viento certero bajaba de las montañas y obligaba a los caminantes a cerrarse las chaquetas y los abrigos para prevenir algún resfriado. Subió hasta la carrera Segunda y dobló a la izquierda. Los estudiantes de la Universidad de La Salle se agolpaban a la entrada de la institución, hacían planes para divertirse esa noche y formaban corrillos en las tiendas y en las cafeterías de los alrededores. Caminó hasta la pequeña plaza del Chorro de Quevedo y se sentó allí en una de las bardas que rodean la pequeña iglesia. Varios estudiantes de la Universidad Externado de Colombia bebían café y gaseosa en las mesas exteriores de un local atendido por dos muchachas jóvenes que soportaban con buen humor los chistes y las insinuaciones de los clientes. Aunque fuera muy temprano en la mañana, la plaza ya estaba bastante concurrida. Comenzaron a llegar los primeros hippies que vendían collares, anillos, pulseras, adornos para el cabello, sombreros, pipas para fumar marihuana y chalecos multicolores, e instalaron sus tenderetes de un extremo a otro del lugar. Dos o tres compradores matutinos preguntaban, negociaban, pedían rebaja o sencillamente iban de un sitio a otro contemplando la variedad de las mercancías.

Samuel, sentado en la barda, se dijo que era extraño ser él mismo, sin hacer parte de los otros, y por unos instantes y de manera misteriosa sintió la soledad de no pertenecer a una comunidad, de estar separado, incomunicado, como una pieza metálica que rueda cada vez más alejada de la maquinaria a la que perteneció.

Al mediodía la plaza se llenó de todo tipo de gente. Samuel seguía allí, quieto, meditando sobre su curiosa situación. La mayoría de las personas era joven y buscaba almuerzos abundantes y baratos. Él cerró los ojos y se dejó ir entre la multitud. Sintió en sus manos, en su torso, en sus piernas, en su cráneo y en cada una de las ramificaciones de su sistema nervioso central, los flujos energéticos de las voces que llegaban hasta él: voces adolescentes, de hombre, de mujer, de niños que cruzaban la plaza corriendo y haciendo bromas, voces con acento de la costa caribeña, voces del interior del país, voces con entonaciones del Valle del Cauca, voces con ritmos suaves y pausados de la costa pacífica, voces tímidas y voces arrogantes, seguras de sí, voces temerosas y voces acostumbradas a tomar riesgos. Imaginó a qué tipo de persona pertenecían las palabras que iba identificando, los enunciados, los modismos y las distintas pronunciaciones. Era agradable salir de él de esa manera y convertirse en los otros, ser una corriente vital en tránsito permanente a través de cuerpos y psicologías diversas.

Abrió los ojos y vio la muchedumbre que recorría la pequeña plaza y negociaba todo tipo de productos con los artesanos que disfrutaban lo que parecía un buen día de ventas. Samuel respiró hondo y, de repente, viendo a uno de los compradores que se agachaba a preguntar por una camisa ecuatoriana, recordó a su antiguo compañero de colegio, Horacio Villalobos. Se preguntó si sería él o no el hombre que observaba. Los rasgos se parecían mucho y seguramente los años lo habían engordado algunos kilos y le habían hecho perder buena parte del cabello. ¿Sí se trataba de él? No estaba seguro, pero le gustó evocar al viejo compañero de clases al que le había dejado un dibujo de Ulises antes de partir con sus abuelos a Nueva York. Por esos años, se dijo Samuel, hay una especie de destino común que lo une a uno de manera directa con sus compañeros de estudios. Cumplen la misma rutina, hacen más o menos las mismas cosas, se enamoran al tiempo, estudian las mismas materias, compran ropa similar, en fin, es como si fueran un solo individuo con múltiples cabezas. Luego, la vida traza las divisiones y los aleja cruelmente a unos de otros. Pero ese sentido de lo grupal permanece en cada uno a lo largo de la edad adulta, y cuando reaparece un compañero de clase se tiene la impresión de haber recobrado una parte de sí mismo que le arrancaron a las malas y sin consultar. De cualquier manera, siguió diciéndose Samuel mientras observaba a ese hombre que podía ser su amigo Horacio, tanto si ha sido feliz como si ha sido desdichado, uno sabe que el destino de un compañero de colegio es algo que le pertenece, una especie de propiedad común. Si hubieran repartido las cartas de otra forma, uno podría con facilidad estar en su sitio o viceversa.

Agarró la maleta y la urna y se alejó de la plaza sin llamar la atención. Le dio vergüenza que de pronto ese hombre sí fuera Horacio Villalobos y que al verlo así, como un vagabundo callejero, sintiera lástima y terminara hiriéndolo con algún comentario piadoso. Así que prefirió evitar el encuentro y caminó por la carrera Segunda hacia el Sur. En la calle Novena bajó a la carrera Tercera, cruzó el último callejón empedrado de La Candelaria y se internó en el barrio Belén con paso lento y tranquilo, recorriendo la ciudad con una parsimonia que indicaba su falta de objetivos y su ausencia absoluta de propósitos. Samuel se preguntaba: ¿quién era él? ¿Por qué diablos le había tocado justamente ser así, ser ese hombre, tener esa cara y hablar con esa voz? ¿No era extraño eso que se llamaba un «yo», ser alguien y no poder escapar de una identidad que uno no había elegido? Por unos segundos se sintió como un cadáver que regresaba del país de los muertos, un zombi, un ser intermedio que estaba extraviado en algún lugar entre la vida y la muerte. ¿Quién era Samuel Sotomayor? ¿Era él ese hombre que se llamaba así? No estaba seguro, pues salir de la cárcel era como salir de una tumba, abrir las rejas de un cementerio y tener que enfrentar a los vivos mientras uno era un esqueleto con jirones de carne adheridos a los huesos. Él, en realidad, era Lázaro recorriendo las calles de una ciudad que ya no sentía como suya, una ciudad impenetrable, humillante, cruel, déspota, que no permitía actitudes afectuosas ni bondadosas. Bogotá era una ciudad siempre en pie de guerra, dispuesta a la lucha, agresiva, militar. El que se acercaba a ella mostrando comportamientos melifluos y pusilánimes era inmediatamente eliminado o, en el mejor de los casos, herido. La única manera para vivir de pie era enfrentándola, atacándola, aceptando el cuerpo a cuerpo. Y él nunca había sido capaz de asimilar el reto. La había rehuido, había escapado y durante años había creído que camuflándose podía, quizás, pasar inadvertido. Y lo peor era que ella se había dado cuenta, había olido su temor y lo había hecho pedazos. Nunca había sido un contrincante peligroso, un soldado a quien respetar. La prueba era que Bogotá lo había convertido en un muerto viviente que habitaba en una dimensión nebulosa e inexplicable. La ciudad lo había mutilado, lo había vaciado y ahora ya no sabía quién era él. Lo mejor sería engendrarse y volver a nacer una vez más. La clave no era resucitar, se dijo Samuel, sino generar un nuevo alumbramiento. Tendría que parirse a sí mismo a las buenas o a las malas.

Entró a un restaurante que anunciaba en una cartulina escrita a mano «almuerzo corriente», y pidió el menú del día: sopa de pasta, arroz, papa, un pedazo de carne asada, una porción de lentejas y un vaso de agua de panela fría con limón. La comida lo reconfortó y salió a la calle sintiéndose un poco mejor de ánimo. Dos calles más hacia el Sur reconoció de pronto el sector, las casas bajitas y construidas en la ladera de la montaña, los colores de las fachadas, las ventanas, el trazado de los andenes y las puertas pintadas de verde o de café. Había llegado, sin proponérselo conscientemente, a la cuadra donde estaba la vivienda en la que se había escondido tres meses antes del atentado contra Altamirano. Le pareció increíble que el azar lo condujera justo a ese lugar. No podía ser. Seguramente su inconsciente le había jugado una mala pasada y lo había arrastrado a un reencuentro con una de las partes más dolorosas de su pasado. Encontró la casa y se paró delante de ella a contemplarla en silencio. Las tejas estaban rotas; las paredes, descascaradas, y la madera de la puerta y de las dos ventanas daba la impresión de haberse dañado por la humedad que dejaba filtrar el techo. Toda la edificación parecía estar a punto de venirse abajo. Samuel pensó: «Se parece a mí. El tiempo hizo estragos con ambos». Recordó el encierro que había cumplido allí antes del atentado y el término que utilizaban asaltantes y grupos subversivos para nombrar esa acción antes de un golpe importante: *enterrarse*. Revivió las largas horas de ejercicios físicos y de lecturas de toda clase, los monólogos interminables, el odio, la sed de venganza, la visita de Constanza un día antes del ataque a la Brigada Especial, y el joven arrogante y aparentemente seguro de sí que era él en aquel entonces lo invadió por unos breves segundos. ¿Qué había quedado de esa aventura absurda? Pura destrucción, despojos humanos con vidas hechas una miseria.

Se arrodilló en el asfalto, dejó la urna en el borde del andén y hurgó entre la maleta hasta encontrar una hoja de papel arrugada. Era la carta que le había enviado

Constanza a la cárcel antes de matarse. No tenía que releerla, la sabía de memoria. La había guardado como constancia de su propia bajeza, como una prueba del horror que había sido capaz de generar durante su juventud. Recitó la carta mentalmente, ahí, con el papel en la mano, sin mirarlo, vislumbrando por entre las tinieblas de los años los ojos de Constanza, su sonrisa, la manera como había intentado acercarse a él esa tarde que ahora le parecía el preámbulo de un infierno, la introducción a lo que fue más tarde una larga condena lejos del mundo donde los vivos continuaron con sus rutinas como si nada hubiera pasado.

Se alejó de la casa con una sensación amarga en la memoria, reconstruir lo que había sido esa época confusa y errática lo dejó deprimido y con el ánimo por el piso. Bajó hasta la carrera Décima y buscó una cantina de mala muerte para tomar unas cervezas. Tanto la mesera como los otros parroquianos que bebían escondidos en la penumbra del recinto creyeron, al ver la urna, que Samuel acababa de reclamarla, y que en ella seguramente estaban los restos de una esposa abnegada, de un hijo accidentado o de una madre que había agonizado entre sus brazos. Era como si la urna le otorgara una autorización moral para emborracharse, destruirse y terminar más tarde tirado en un rincón maloliente maldiciendo y con los ojos arrasados por lágrimas. Pero no, lo que en verdad quería Samuel era restablecer un poco su equilibrio interior, refrescar la garganta y pensar qué carajo iba a hacer ahora que estaba en la calle y con toda su libertad por delante.

En ésas andaba, cavilando entre sorbo y sorbo, y haciendo cuentas de los pocos pesos que le quedaban en el bolsillo, cuando un hombre se le acercó y le tendió la mano con seguridad, como si hubiera planeado la acción muchas veces antes de atreverse a realizarla.

—Jacinto Morales, para servirle. No estaba seguro cuando lo vi entrar, pero ahora sí. Nos conocimos en Cancún.

Samuel sonrió al escuchar el término. En la jerga carcelaria la prisión era la cana, una detención era un canazo, y para que sonara a una especie de vacaciones de lujo en un hotel de excelente calidad, los reos hablaban de su estadía en las playas de Punta Cana o de Cancún. Los que terminaban metiéndose en la religión y recorrían los distintos patios con la Biblia siempre bajo el brazo, llamaban a la cárcel «la tierra de Canaán». Era evidente que el hombre había estado tras las rejas y que lo había reconocido. Le estrechó la mano.

—Qué tal, hermano. Samuel.

—¿El de la biblioteca, no?

—Sí —afirmó él con una vaga melancolía.

—¿Me puedo sentar? —preguntó el desconocido señalando una silla vacía que estaba a su lado.

—Adelante.

Samuel notó que afuera, en la calle, el día se había oscurecido y que una brisa helada parecía anticipar el próximo aguacero. El hombre que decía llamarse Jacinto lo miró a los ojos y habló sin alardes de ninguna clase, sin poses, con una desenvoltura que lo convertía en un individuo salido de lo común, como si fuera un actor realizando un papel en una película y no un ex presidiario de verdad dirigiéndose a otro en un bar maloliente y barato.

—Ustedes, los de la biblioteca, eran famosos en todos los patios. Ahí estaba también el cucho de la Bestia, ¿cómo era que se llamaba?

—Ezequiel.

—Ese mismo. Bacán el hombre, para qué. Un man legal.

—Aquí lo traigo —dijo Samuel girando la cabeza hacia la urna.

—¿Cómo así, hermano? ¿Sacó la mano el veterano?

—Cáncer de hígado.

—¿Y dónde lo va a dejar?

—Tengo que llevarlo hasta La Guajira. Pero no ahora, después.

—Tenaz, hermano, qué misión tan hijueputa. ¿Y qué dijo la Bestia?

—Lo quebraron en los baños. Sus guardaespaldas.

Samuel siguió bebiendo de la botella de cerveza y escuchó las primeras gotas estrellarse contra la calle, los autos y los techos de las edificaciones.

—¿Cuándo salió?

—Ayer.

—Me lo imaginaba, hermano. Se le nota demasiado. Anda incluso con la maleta todavía.

—Anoche dormí en un hotelucho que se estaba cayendo, pero no pienso volver por allá.

El aguacero fue creciendo en intensidad y se veía a la gente corriendo de un lado para otro. Una atmósfera húmeda, helada, invadió de repente el lugar.

—Supongo que no tiene adónde ir ni quién le dé trabajo. Es berraco andar así, con la ropa al hombro, hablando siempre con uno mismo.

—Ya conseguiré algo —dijo Samuel tranquilo, sin alterarse, como si su propia vida le interesara muy poco.

Jacinto puso su mano sobre la de él un segundo y le anunció:

—Espéreme, voy a traer mi cerveza y a despedirme de un amigo. No se vaya a ir, hermanito, quiero proponerle algo.

En efecto, Samuel lo vio regresar a la mesa de donde había salido unos minutos antes, despedirse de un tipo con aspecto de matón de barrio popular, agarrar una cerveza y sentarse de nuevo en el mismo sitio donde estaba. Todo eso lo hizo Jacinto con naturalidad, notó Samuel, como si disfrutara de una extraña manera cada uno de sus movimientos y cada palabra que dirigía a los demás. No era un actor, pero daba la impresión de que a su alrededor se estaba llevando a cabo una obra de teatro. Y no dejaba de ser curiosa esa sensación, pues su absoluto desparpajo para hablar y para moverse era tan contundente que producía el efecto contrario.

—Listo, hermano. Es que estoy metido en un negocio grande. Ahora sí voy a salir de pobre para siempre. Tiene que revisar las páginas sociales dentro de poco —sonrió con picardía, como si ya estuviera disfrutando los millones que pensaba ganar.

—Mejor no le pregunto nada.

—Sí, hermanito, en estas cosas mientras menos gente sepa, mejor. Lo importante aquí es que yo le tengo una propuesta.

—No me interesa, gracias. Yo veré cómo me las arreglo.

Jacinto levantó un brazo indicando calma, como si fuera un policía de tránsito deteniendo el tráfico enloquecido de una avenida para darle vía a otra.

—Espere, maestro, espere. No se me acelere. Le voy a proponer algo legal, en regla, nada de torcidos.

—No me diga que ahora tiene una agencia de empleos.

—Fresco, hermano, deje la prevención. Ya le dije que yo tengo un buen camello por estos días, algo grande, algo que me va a dejar buen billete. El problema es que yo no estoy solo, ¿me entiende?, vivo con mi cucha, que fue la única persona que no me abandonó cuando estuve en Cancún.

Samuel evocó por unos instantes las remesas de comida que le había enviado Rosario durante años. Sabía que si algo respetaban los presos por encima de cualquier otra cosa era la lealtad, las manifestaciones de afecto cuando las cosas se ponían feas y uno terminaba entre rejas.

—Ella siempre ha estado ahí, hermanito, firme en primera. Es lo único que tengo. No se imagina lo que vale esa mujer. No la puedo dejar tirada, sola, como si no me importara. Mientras hago la vuelta tengo que dejar a alguien que la cuide. Tiene que tomar varias pastillas todos los días y no puede caminar por el sobrepeso tan berraco, las rodillas le duelen y las piernas le flaquean. Pobrecita mi cucha, usted no se imagina la personota que es. Le conseguí una silla de ruedas y anda por la casa en ese aparato. Pero no crea que anda haciendo mala cara, hermano, qué va, está todo el tiempo sonriente, colabora en lo que puede, teje, lee la prensa, pregunta, comenta con uno los noticieros de televisión. Ya quisiera tener uno el coco que ella tiene.

Jacinto hablaba con vehemencia, entusiasmado al recordar las cualidades de su madre. Samuel lo veía gesticular, subir y bajar el tono de la voz, manotear en el aire y entrecerrar los ojos para enfatizar lo que estaba diciendo, y sin saber cómo ni por qué empezó a sentir confianza y afecto por ese hombre que lo único que quería era cumplir con su plan para llevarse a su madre a una buena casa y darle las mejores comodidades y una atención de primera clase. Se le notaba el cariño desmedido, la preocupación por la salud y los cuidados que ella iba a requerir durante su ausencia, la adoración que sentía y que le carcomía las entrañas. Samuel se dirigió a él amigablemente:

—Mire, Jacinto, todo eso está muy bien y yo lo respeto. Pero usted lo que necesita es una enfermera, alguien que esté pendiente de las medicinas y que le tome la presión todos los días. No entiendo cómo aparece ante usted un tipo recién salido de la cárcel y usted lo va invitando a su casa y lo deja encargado de su madre.

—Hermanito, hermanito, mosca, despertándose, cambiando el casete. No me está entendiendo. Yo a usted lo conozco, lo vi durante años, era famoso en todas las playas de Cancún. Los mancitos que llevaban más tiempo le contaban a uno que usted se había despachado a Tarzán y sus perritos, que era karateca profesional, que había sido discípulo de Bruce Lee, el más duro de los duros. Y, sin embargo, usted no andaba por ahí montándola de campeón, no, uno lo veía en la biblioteca, metido entre libros, dando clase, enseñando. No, viejito, yo a mi casa no meto a cualquiera, está equivocado. Por eso no he contratado a nadie, porque la gente de aquí afuera no me inspira confianza. Usted es de otra categoría, hermanito, alguien a lo bien, elegante, educado, en línea. Lo conozco desde hace años. Es como si contratara a un médico, un profesor y un guardaespaldas. Tres manes en uno. Mi cucha no puede quedar en mejores manos, se lo aseguro.

Samuel recordó de pronto la cantidad de estafadores, ladrones y criminales de todas las calañas que había conocido en la cárcel y que eran como Jacinto, infantiles, afectuosos, ingenuos, como si se hubieran quedado suspendidos en algún momento de la adolescencia y se hubieran negado a seguir creciendo. Sonrió para sus adentros y se llevó la botella de cerveza a la boca.

—¿Ahora sí me está captando, hermanito? Yo no le debo nada a nadie y la gente con la que voy a trabajar es recta, de la vieja guardia, pero uno nunca sabe dónde está escondido un tránsfuga. No quiero que mi cucha esté desprotegida. Además, le acabo de decir que ella se la pasa leyendo, es una mujer educada, hermanito, que le va a agradecer todos los libros que usted le sugiera. Aquí el hampón soy yo, no ella. No se equivoque creyendo que estamos al mismo nivel y que a usted le va a tocar lidiar con una vieja bruta, ignorante y de malas pulgas. Todo lo contrario, hermanito, un ángel bondadoso e inteligente que lo único que busca es hacerles bien a los demás.

—¿Cuánto tiempo se va a demorar en su trabajo?

—Tres semanas, hermano. Hay que hacer labores de vigilancia y seguimiento primero. Yo me desaparezco y cuando vuelva, usted coge su plata y se abre. Le pienso pagar bien. Y por la casa no se preocupe, no está boleteada. Si algo me pasa, usted no tiene nada que ver. Nadie lo puede encanar por cuidar a una anciana desprotegida.

—¿Qué tengo que hacer?

—Cuidarla, hermano, cuidarla como si fuera su propia madre. Pero no le toca estar todo el tiempo en la casa. Ella también se las arregla y sabe estar sola. Usted puede salir, darse sus vueltas, con frescura, sin agites. Eso sí, por las noches prefiero que esté atento con el rancho.

—Y si a usted le pasa algo, ¿qué diablos hago?

—Estamos jugando limpio los dos. Voy a serle franco: no creo que me pase nada, no pienso correr riesgos innecesarios, pero uno nunca sabe. Si me llegan a quebrar la deja en un ancianato y se va, hermano, porque qué más va a hacer usted. No lo puedo condenar a que cuide de por vida a una mujer que ni siquiera conoce.

—¿Y los gastos de esas tres semanas? Yo no tengo un peso.

—Ah, no, por eso no se preocupe. Yo dejo la medicina al día, los servicios pagados, mercado suficiente y un billete para que usted se pueda mover y comprar algún imprevisto que haga falta. Cuando llegue, le doy cinco paquetes por haberla cuidado y quedamos de buenos amigos. No me diga que esas lucas no le vienen bien.

—Cinco melones es mucha plata.

—Y le aseguro que estar con ella tres semanas no va a ser un problema. La gente le va cogiendo cariño enseguida, sin darse cuenta.

—¿Cuándo tiene que irse?

—En un par de días.

—Listo, trato hecho. Cinco palos por tres semanas. Si a usted le pasa algo, yo sigo mi camino.

—Nos va a ir bien, hermano, va a ver.

Jacinto le estrechó la mano y brindó con la botella de cerveza en alto. Samuel estaba tranquilo, el negocio le permitía dormir y comer durante tres semanas, adaptarse un poco mejor al mundo exterior, recoger una buena suma de dinero y largarse a La Guajira a cumplirle la promesa al viejo Ezequiel. Sin embargo, en ese tiempo cualquier cosa podía pasar. Con gente como Jacinto, aunque tuviera buenas intenciones, nunca se sabía nada. Eran aventureros que estaban expuestos a sorpresas de todo tipo, a traiciones, y que muchas veces quedaban a merced de soplones y de policías infiltrados. Hasta no tener el dinero en el bolsillo y encontrarse lejos de Bogotá, era mejor no cantar victoria.

Pagaron las dos cervezas, Samuel agarró la maleta con una mano y abrazó la urna con la otra, y salieron a la calle sintiendo contra sus cuerpos ráfagas de un viento húmedo y helado. El aguacero había pasado y una llovizna les mojó la cara y el cabello. Jacinto metió las manos en la chaqueta y aseguró:

—Vámonos para la casa de una vez. Voy a presentarle a mi vieja y a organizarle un cuarto. Se va a poner dichosa de tener visita.

—¿Cómo se llama?

—Eunice.

—¿Dónde es la casa?

—Aquí no más, en el Quiroga. Si quiere nos pegamos una caminada o si está cansado cogemos un bus que nos acerque.

—Caminemos.

La llovizna desapareció y se dirigieron hacia el Sur a todo lo largo de la carrera Décima. Samuel veía a los demás pasar muy cerca de ellos, los contemplaba parados en el andén esperando transporte para dirigirse a sus casas, y tenía la impresión de que no era igual a ellos, de que estaba lejos, de que no se parecía a ninguno de esos trabajadores humildes que contaban los minutos para llegar a sus casas y abrazar a sus familias. No, él pertenecía a la raza de Caín, él había matado, él tenía las manos untadas de sangre. Era un fratricida, un paria expulsado del Paraíso. Tenía una cabeza, dos brazos y dos piernas, pero en realidad pertenecía a otra especie y había vivido diecisiete años entre las bestias. Por unos segundos imaginó que era un lobo caminando entre liebres, un animal peligroso que escondía las garras e intentaba pasar desapercibido. ¿Se habían sentido así todos los que salían de la cárcel? ¿Y

Jacinto era una liebre simpática, o un lobo más astuto de lo normal? Lo mejor, se respondió Samuel mentalmente, era esperar, estar alerta y no hundirse demasiado en cavilaciones nerviosas y paranoicas. Había estado encerrado mucho tiempo, solo, y ya no sabía cómo comportarse entre personas comunes y corrientes. Eso era todo. Tenía que hacer un esfuerzo por volver a convertirse en humano, tenía que recordar cómo era, tenía que hallar el camino de regreso. De eso se trataba el asunto, de saber viajar a través de la memoria hasta encontrar escenas, ideas y sentimientos anteriores a su encierro, conceptos y sensaciones de la época en que era un hombre libre, un hombre normal. Poco a poco los colmillos se caerían, las garras se suavizarían y él recobraría señales de su antigua condición humana.

Mientras iba al lado de Jacinto por la carrera Décima, se acordó de las cartas que Bahamón, desde la libertad, le había enviado a la cárcel. Le confesaba que la gente le parecía extraña, que se aburría en cualquier conversación, que no disfrutaba de la libertad, que su celda y sus amigos le hacían falta, que afuera la vida le parecía estúpida y sin sentido, que un domingo en las horas de la tarde había terminado en los callejones cercanos a la prisión observando las garitas y los altos muros, intentando reconocer a algún viejo compañero de patio caminando por los corredores del tercer piso o asomado a una de las celdas que tenían ventanas hacia el exterior, añorando su vida de recluso y dándose cuenta de que ahora nada valía la pena para él, ni siquiera su vida misma. ¿Llegaría a sentirse así alguna vez? ¿Tarde o temprano el desajuste lo conduciría a delinquir para volver al útero carcelario, a la biblioteca, a los libros que le habían brindado una libertad mental extraordinaria mientras su cuerpo seguía atrapado en las viejas rutinas decretadas y vigiladas por las distintas administraciones penitenciarias?

Jacinto lo sacó de ese monólogo que ya empezaba a deprimirlo:

—¿Siguió practicando artes marciales?

—En competencia, no. Estando preso es muy difícil.

—¿No tiene amigos ni familia aquí afuera?

—No, un compañero que trabajaba conmigo en la biblioteca dejó de escribirme y ahora no sé dónde está.

—Es berraco, hermanito, salir así, a la buena de Dios, y andar por las calles como alma en pena.

Samuel tuvo de repente la sensación de irrealidad, de que el hombre que iba a su lado, las casas, los buses, el cielo gris y los cuerpos que se cruzaban por la calle no eran de verdad, no existían, estaban ahí sólo para indicarle una ilusión de la que tenía que despertar algún día. Nada era cierto, el mundo era una gigantesca falacia, una obra de teatro, un montaje que en algún momento habíamos confundido con la realidad, quedándonos para siempre atrapados en una representación vulgar y muchas veces de mal gusto. Pensó que esa sensación se debía quizás al hecho de que había leído sin parar a lo largo de diecisiete años, de que había vivido más entre las páginas de los libros que en la vida real, y lo más seguro es que hubiera invertido los planos: los personajes eran verdad y las personas no. Las palabras eran ciertas y los objetos no. Los sentidos vivían permanentemente engañándolo y no se daba cuenta de ello. Era víctima de los astutos trucos del cuerpo para hacerlo creer que lo que estaba a su alrededor era la realidad. Error. Lo que veía, olía y tocaba era fantasmagórico, virtual, hecho de aire. Había que despertar.

Jacinto continuó con la conversación:

—Y su gente qué, ¿también perdió contacto con ellos?

«Su gente» se refería a la banda, al grupo, a la organización con la que había trabajado y por la cual había terminado preso. Era una expresión tribal, de clan, de pertenencia a una comunidad que siempre estaba detrás de uno protegiéndole la espalda. Samuel entendió la pregunta y contestó con franqueza:

—Si alguno sobrevive y se entera de que salí, lo más seguro es que me busque para hacer un ajuste de cuentas conmigo.

—¿Pero usted los sapió?

—No soy de ésos.

—Tenaz entonces, hermano. Cuando el combo se voltea en contra de uno es lo peor que puede pasar. Que los tombos nos pisen los talones es normal, es su trabajo. Que quieran quebrarnos es apenas lógico. Pero que los que están con nosotros de este lado de la línea se nos vayan encima, eso sí es cabrón, hermano, eso termina por joder a cualquiera.

—Sin embargo, no creo que se hayan enterado. Han pasado muchos años. Ya nadie se acuerda de mí.

—Quién sabe, viejito, siempre hay algún hijueputa con buena memoria —dijo Jacinto suspirando y señaló hacia la derecha, hacia el Occidente—. Ya casi llegamos. Bajemos por ésta a la Caracas.

Samuel, por primera vez, no quiso ser grosero con su actitud retraída y silenciosa, no quiso pasar por un hombre engreído y displicente con quien se había acercado a él en términos tan amigables y generosos. Por el contrario, deseó que la conversación continuara y que Jacinto se diera cuenta de que no era un bicho raro al que se le había dañado un tornillo en la cabeza o un psicópata extraño al que había que tener entre ojos. Por eso preguntó con un tono de camaradería mientras cambiaban de rumbo:

—Y usted, Jacinto, ¿sigue trabajando con su misma gente? ¿Confía en ellos, o prefiere estar ahora con gente nueva?

—Con los mismos, hermano, llevamos toda una vida juntos. Nos conocimos en el barrio, jugando fútbol de jóvenes, y desde entonces hemos sido como hermanos. Lo grave es que con los compinches pasa lo mismo que con las viejas: cree uno que las conoce, que ya sabe de qué son capaces y de qué no, y cuando menos piensa las descubre en brazos ajenos haciendo planes para largarse a otra parte. Con los socios es igual. Yo confío en esos manes, pero sé que en cualquier momento me la pueden hacer.

—¿Y eso fue lo que le pasó con su mujer? ¿Se fue con otro? ¿Por eso no tiene hogar ni familia?

—Sí, hermanito. Aguanté en Cancún sin decir nada, sin alharacas, ¿me entiende? Mi gente le seguía pasando billete a ella y no le hizo falta nada. Un día se voló con un tipo y no volvió. No dio explicaciones, no dejó una carta, nada, hizo una maleta y desapareció. A mí me importó un culo que me dejara, yo sabía que tarde o temprano me la iba a hacer. Lo que me dolió fue que dejó a mi cucha tirada, que no le consiguió a nadie, que la abandonó de la noche a la mañana de la manera más irresponsable.

—Qué hizo, entonces.

—Mi gente la cuidó, le hizo mercado, le pagó el arriendo, le contrató a una empleada para que la atendiera. Por eso estoy en deuda con ellos. Si ahora me necesitan, ahí estaré. Luego me abro y si te vi, no me acuerdo.

—Claro, la lealtad.

—Sí, hermano, ellos se portaron bien conmigo. No les voy a pagar mal ahora, no los voy a faltoniar.

Cruzaron la avenida Caracas y se internaron en el barrio Quiroga, en un callejón peatonal que desembocaba en un parque recién remodelado con una rueda infantil y unos columpios nuevos. Jacinto se detuvo frente a una casa de una sola planta, con una puerta de entrada metálica y dos ventanas enrejadas a los lados. Era una vivienda modesta pero en buen estado, con la pintura resplandeciente y las tejas enteras, sin remiendos. Samuel se paró frente a la casa, miró de reojo a Jacinto y le preguntó:

—¿Está seguro?

—De qué, hermano, ¿de que usted se encargue de esta casa en mi ausencia?

—Me acaba de conocer.

—Qué va, lo conozco hace rato. Usted es el que no me conoce a mí. Deje de preocuparse tanto, hermano. Confío en usted y me alegro de haberlo encontrado hoy. Venga, sigamos.

Abrió la puerta y Samuel pudo ver unos muebles de madera lacados, unas reproducciones de paisajes de la sabana de Bogotá, unas porcelanas de bailarinas y de enanos barbudos y un equipo de sonido en un rincón de la sala. Todo estaba limpio, sin polvo, y el piso dejaba escapar un aroma a lavanda. Se podía reconocer el característico aire de dignidad de la clase media baja, que hace un gran esfuerzo por sostener una casa con ciertas comodidades y en la que jamás vaya a faltar la comida. Jacinto pegó un grito:

—¡Mamá!, ¿dónde está sumercé?

Una voz gruesa respondió desde el fondo, detrás de una puerta que seguramente conducía a la cocina:

—Aquí, mijo, preparando la comida.

—Ponga sus cosas por ahí —le dijo Jacinto a Samuel señalándole un sofá y dos asientos— y venga se la presento.

Dejó la maleta y la urna sobre un asiento con cojines amarillos y siguió a Jacinto hasta la cocina. La señora Eunice era una mujer gorda, de cabello corto pintado de rubio, los ojos expresivos y vivaces, la boca carnosa bien diseñada y la nariz recta, mediana, que le daba al rostro una apariencia de equilibrio y mesura poco comunes de encontrar. Estaba sentada en una silla de ruedas. Se notaba que de joven había sido una mujer muy hermosa. Apenas vio a Samuel esbozó una sonrisa y una dentadura perfecta le iluminó la cara redonda y sin arrugas.

—Encantada, señor, mucho gusto en conocerlo. Siga, siga, está en su casa.

—Le presento a Samuel, mamá, es un viejo amigo y acabo de encontrármelo.

La madre de Jacinto estaba cortando unos trozos de carne y se quedó sonriendo con el cuchillo en la mano, una imagen absurda que no encajaba con la situación. Se veía encantada de tener visita.

—¿Le provoca un jugo o una limonada? ¿Tiene hambre, quiere comer algo?

—No señora, muchas gracias.

—Hagamos tinto entonces y charlamos un rato —dijo ella entusiasmada y moviendo la silla de ruedas hacia la estufa—. No crea que porque estoy vieja y enferma soy boba.

Samuel sonrió, ahora entendía de dónde provenía el desenfado de Jacinto, sus ademanes y sus teatrales maneras de hablar. Ella llenó una olla con agua, encendió uno de los fogones y la puso encima. Aclaró:

—Toca café instantáneo porque no tengo más. Espero que le guste, don Samuel.

—Samuel a secas —dijo él sonriendo.

—A mí me pasa lo mismo. No me vaya a decir «doña Eunice» porque me siento como una abuelita inválida.

Fue un rato agradable. Jacinto y Samuel se quedaron de pie a la entrada de la cocina, recostados contra la pared, y Eunice hizo alarde de su simpatía y su buen humor. A los pocos minutos de estar en esa casa, Samuel se dijo que era la primera vez desde que había salido de la cárcel que se sentía a gusto, tranquilo, sin ganas de salir corriendo. Eunice no sólo era una mujer comprensiva, aguda, penetrante en muchos de sus comentarios, sino que además demostraba una jovialidad que había sido ganada a pulso, conquistada en medio de la desgracia, y eso le daba ese aire de alma pura cuya plenitud había sido lograda en la noche más oscura de una siniestra adversidad. Tenía todo en su contra: estaba vieja, pasada de peso en por lo menos treinta o cuarenta kilos, sin poder caminar, pobre, su único hijo había pagado varios años de cárcel y, sin embargo, ahí estaba, riéndose, disfrutando de la visita de un desconocido, haciendo comentarios jocosos y dichosa de tener frente a ella a un nuevo interlocutor. La imaginó haciendo fila en la cárcel para entrar a visitar a Jacinto o recién abandonada por la nuera, sola, viendo pasar las horas mientras la mujer no aparecía por ninguna parte y ella empezaba a sospechar que se había fugado para no seguir al lado de una gorda lisiada que no podía valerse por sí misma. Nada de todo eso había menguado su alegría interior, su capacidad para disfrutar de los demás, su fuerza espiritual que la hacía una mujer tan especial y entrañable. Conocer a alguien así, se dijo Samuel, sólo podía producir admiración.

Ella, por su parte, le preguntó por su familia, por su trabajo, por su vida en general. Samuel no le ocultó nada, le resumió en breves palabras quién era y por qué había pasado tantos años tras las rejas. No quiso maquillar ningún episodio de su pasado ni eludir el tema de la prisión. Sabía que Eunice no lo juzgaría por ello, que por el contrario le agradecería su franqueza directa y sin ambages. No quería comenzar su relación con ella mintiéndole, escondiéndose, disfrazándose. Cuando terminó su exposición, Eunice se puso inmediatamente del lado de él, tomó partido sin pensarlo y comentó:

—Tranquilo, mijo, si a mí me hubieran asesinado a mis padres habría hecho lo mismo. Como no hay justicia, la gente tiene que hacerla con sus propias manos. No se sienta mal por eso. Y ya no hablemos más del asunto, cambiemos de tema. Más bien calentemos la comida.

En un instante súbito, Samuel se dio cuenta de que en diecisiete años no había estado frente a una mujer relacionándose con ella en una situación que no fuera la de la visita conyugal, y Eunice le evocaba en lo más profundo de su inconsciente a una madre protectora y cariñosa. La madre que él había perdido de niño. Si el viejo Ezequiel había sido su padre, la figura del hombre experimentado que aconseja al joven que se asoma a la primera madurez, Eunice entraba ahora a significar ese afecto femenino que él nunca había sentido, esa amistad tan necesaria que todo hombre entabla con su madre y gracias a la cual, más tarde, logra o no confiar en las mujeres que ame y entregarse a ellas sin reservas.

A partir de esa primera entrevista, la historia de Samuel en casa de Jacinto y de su madre se desarrolló apresuradamente, o al menos así le pareció a él. Entró enseguida a hacer parte de esa familia de sólo dos seres que intentaban hacerle frente a un destino incierto y borroso. Eunice lo adoptó desde los primeros minutos de conversación y le brindó toda la fuerza de su cariño. Una fuerza bruta, pensaba Samuel, primitiva, ancestral. Esa mujer le recordaba a las diosas madres y a las sacerdotisas de la Antigüedad. Con el mismo amor con el que la naturaleza las abrazaba, ellas abrazaban a la tribu, la protegían. Muchas veces tuvo de nuevo la sensación de irrealidad, de que estaba metido en las páginas de un libro cumpliendo con los dictámenes de una mano invisible. Le costaba trabajo aterrizar, llegar a la realidad, despertarse.

Dos días después, Jacinto hizo maleta y se despidió de ellos. Su madre no le preguntó nada, no lo puso contra la pared, no lo acorraló. Él sólo dijo que lo habían llamado para un trabajo importante, que quedaba en buenas manos, y ella entendió y se quedó callada. Samuel pensó: «Madre, he aquí a tu hijo. Hijo, he aquí a tu madre». Le deseó lo mejor y lo acompañó hasta la avenida Caracas a coger un taxi. Jacinto lo abrazó y pronunció las últimas palabras:

—Gracias, hermanito. Si algo me llega a pasar, intente dejarla en un buen lugar y dígale que todo lo hice por ella, que siempre la adoré.

—No va a pasar nada, fresco, apenas termine lo espero por aquí. La voy a cuidar bien, váyase tranquilo.

No alcanzó a terminar esta frase cuando sintió un estremecimiento en la nuca y en la espalda, un pálpito, como si un sexto sentido le indicara otra cosa: los planes que habían hecho no iban a salir bien, era mentira, era la última vez que se iban a ver, era una despedida definitiva. «Te van a clavar en tu cruz y yo no sé qué voy a hacer con tu madre». No dijo nada, por supuesto; se tragó sus pensamientos, correspondió al abrazo y lo vio subir al taxi y alejarse. «¿Qué diablos me está pasando?, —pensó Samuel mientras regresaba a la casa—. ¿Me estoy volviendo loco? ¿Qué es lo que va a suceder?».

Eunice lo estaba esperando en el portón, en su silla de ruedas, tomando aire y viendo a los transeúntes pasar. Le dijo a bocajarro sin subir el tono de la voz:

—No quiero, Samuel, que se sienta obligado a cuidarme.

Buscó las palabras apropiadas, escarbó en su cabeza:

—Usted sabe bien que es un placer para mí estar en su casa. Pero si soy inoportuno, dígamelo y me marcharé.

—Muchas veces me han abandonado como si yo fuera un bulto muy pesado de cargar, un problema del que no saben cómo deshacerse sin sentirse culpables. No quiero volver a sentir eso.

—Yo no estoy aquí por obligación, sino porque quiero.

—Eso dicen todos al comienzo y después empiezan a sentir la asfixia. Hablemos sin rodeos, como el primer día. ¿Cuánto le ofreció Jacinto?

Samuel la vio a los ojos y se dijo que ocultarle algo era humillarla, rebajarla, irrespetarla. Era mejor ser duro y directo. Eso era lo que ella estaba esperando de él.

—Jacinto me encontró en una taberna. Yo estaba con la urna del viejo Ezequiel y con mi maleta, recién salido de la cárcel. No tenía adónde ir. Me explicó que debía hacer un último trabajo antes de retirarse. Cuestión de lealtad con los amigos que cuidaron de usted mientras él cumplía su condena. Me pidió que me quedara en su casa, que la cuidara por tres semanas y que él me recompensaría con cinco millones cuando todo terminara. No estuve seguro de aceptar porque usted ya se habrá dado cuenta de que soy muy retraído y solitario, no me gusta la gente y menos aún intimar con ella. Pero usted es diferente, Eunice, se lo digo de verdad. Sentí desde que nos conocimos una gran simpatía por usted. Si me deja estar en su casa estas tres semanas, será un placer ayudarla y disfrutar de su amistad. De lo contrario hago mi maleta y me voy ya mismo.

—¿Y si a Jacinto le pasa algo?

—Debo dejarla en una institución donde la cuiden bien. Jacinto me pidió que en ese caso le dijera que todo lo había hecho por usted, por mejorar su vida y brindarle un entorno más amable.

—Si él muere, usted no me deja en ningún ancianato de caridad. Me ayuda a arrendar las habitaciones de la casa y yo me las arreglo después. Esas son mis condiciones.

Eunice hablaba sin odio, fríamente, limitándose a explicar sus ideas. Quería precisar los términos de un contrato, nada más, y así lo entendió Samuel.

—Es su vida, es su casa, y yo no tengo ningún derecho de decirle qué debe hacer y qué no. Le prometo que en ese caso buscamos unos buenos inquilinos, un buen precio por las dos habitaciones, y yo sigo mi camino y quedamos de buenos amigos.

—Eso quería escuchar. Me gusta su forma de ser, confío en usted. Gracias por entenderme.

A partir de esa conversación, la relación con Eunice marchó de maravilla. Ella se tranquilizó y supo que él no haría nada que pudiera herirla. Se dedicaron a compartir libros que Samuel le conseguía en compraventas en el centro de la ciudad, a intercambiar opiniones sobre los procesos de paz con la guerrilla, sobre los tratados de extradición con Estados Unidos o sobre narcotráfico y paramilitarismo, pasaron tardes enteras haciendo tortas y galletas que preparaban con verdadera dedicación, como si se tratara de postres para una fiesta o un agasajo muy importante, y el resto del tiempo veían televisión o salían al parque a darse una vuelta cuando no había mucha gente transitando el lugar. Se volvieron amigos íntimos, se cogieron afecto y se sorprendieron gratamente cuando se dieron cuenta de que ambos tenían un sentido del humor ácido, corrosivo, a veces venenoso. Esos chistes pasados de tono los divertían hasta llegar a carcajearse varios minutos seguidos con las manos en el estómago. Muy pronto se hicieron inseparables.

Eunice tenía problemas en las rodillas, calambres en los músculos de las piernas y por el sobrepeso se le inflamaban con frecuencia los pies cuando se decidía a caminar apoyada en el antebrazo de Samuel, pero no estaba inválida y podía, con suerte, subir y bajar los escalones sin ayuda de nadie. Eso facilitaba mucho las cosas para Samuel, pues ella no lo necesitaba para bañarse, para sentarse en el inodoro ni para desplazarse de un piso a otro. Sin embargo, la mayoría del tiempo ella prefería estar en la silla de ruedas. Había sufrido caídas, resbalones, las rodillas la habían traicionado en varias oportunidades, y tampoco era que confiara en exceso en esas dos extremidades que le dolían en las tardes de lluvia, cuando la temperatura bajaba y ella tenía que ponerse encima mantas y cobijas de lana.

Jacinto les había dejado dinero suficiente para un mes en una cuenta de ahorros, le había entregado la tarjeta de cajero automático con la clave correspondiente a

Samuel, y en términos generales estaban tranquilos por comida, servicios y medicamentos que Eunice necesitaba para la tensión arterial y para desinflamar las piernas. Si Jacinto no aparecía, pensaba Samuel, tendrían problemas a partir de la cuarta semana. Antes no.

Sin embargo, esa calma chicha escondía el hálito de la tormenta que se avecinaba. Doce días después de la partida de Jacinto, una noche despejada y fresca, Samuel regresaba de hacer las compras en un supermercado cercano cuando sintió el cañón de un revólver en los riñones. Le faltaban pocos metros para llegar a la casa. Pensó que se trataba de un atraco y se puso tenso, listo para irse al ataque al menor descuido de su agresor. El dueño del revólver advirtió el cambio de actitud y le dijo en voz baja, reposadamente:

—Tranquilícese, maestro. No vaya a hacer estupideces. Mi amigo está dentro de la casa con la señora. Si yo no llego en buen estado tiene órdenes de hacerla pedazos. Mejor quédese quietecito y ahórrese problemas.

—Si quieren plata yo se las doy, pero no se metan con ella —respondió Samuel con la respiración entrecortada, ansioso, sin saber si creerle al hombre o no.

—Siga despacito. No se me vaya a alborotar y todo saldrá bien. Abra la puerta y entre sin decir nada.

Samuel sacó las llaves y abrió mirando de reojo al hombre que estaba detrás de él apuntándole con el arma. Era de mediana estatura, recio, de edad indefinida. Se dirigieron a la sala y allí, en efecto, estaba Eunice en su silla de ruedas con otro hombre que le tenía puesto un revólver 38 largo a pocos centímetros de su cabeza. Ella estaba tranquila, no daba muestras de temor ni de sentirse excitada en absoluto. Tenía las manos con los dedos entrecruzados en el centro de las piernas. El hombre que estaba junto a ella se dirigió a Samuel, que seguía inmóvil en el umbral de la sala:

—Por fin lo encontramos con la guardia abajo, Sotomayor.

Era una voz cadenciosa, casi musical. Lo primero que Samuel descubrió era que estaba frente a un hombre acostumbrado a los interrogatorios, un tipo entrenado en sacarles a los prisioneros la información deseada, un torturador. Esa cortesía, esas buenas maneras, esas entonaciones en la voz pertenecían a alguien que solía minar las defensas de sus oponentes a punta de golpes sin perder por ello la compostura, sin personalizar, sin odiar, entendiendo que ése era su trabajo y que tenía que demostrar eficiencia en él, profesionalismo. Y lo segundo que supo era que ese par de matones no estaban ahí para robar ni para ajustarle cuentas a Jacinto. Estaban ahí por él. Alguien de la organización se había salvado y había esperado por él diecisiete años. Durante ese tiempo había acumulado recibos y facturas, intereses de mora, y ahora había enviado a dos de sus hombres de confianza a que cobraran lo que sin duda sería una deuda exorbitante. Y la manera de pagarla era con sufrimiento, con su propia vida. Eso lo sabía bien. Por eso esa vocecita de cancioncilla infantil, esa melodía que anticipaba la atmósfera de fiesta que se avecinaba. El pasado lo había alcanzado, y alguien, desde las sombras, quería celebrarlo en medio de un baño de sangre. Alcanzó a decir con la voz firme, sin temblores:

Ya me tienen a mí. Ella no tiene nada que ver.

—Siéntese, hágame el favor, y deje la bolsa sobre la mesa. Póngase cómodo. Está en su casa, ¿o no?

El arma seguía muy cerca de la sien izquierda de Eunice. Un revólver de película de vaqueros, intimidante.

Obedeció. El otro individuo se hizo detrás de él y Samuel intuyó el cañón del revólver apuntándole a la nuca. Misteriosamente, la sensación de irrealidad lo invadió de nuevo: los objetos no pesaban, la casa era una ilusión, esos hombres no existían de verdad, un día tanto ellos como Eunice y él morirían (es más, ya estaban muriendo), y la escena misma no era cierta, acababa de surgir del fondo de unos cerebros nerviosos y atrofiados. Sabía que en semejantes circunstancias era preciso estar atento, despierto, lúcido, pero no podía evitar esa embriaguez que lanzaba sus percepciones a zonas desconocidas. ¿Por qué no acabar con esa pantomima de una buena vez? ¿Qué importancia podía tener esa vieja rencilla ahora, diecisiete años después? ¿No sabían acaso que del joven que él había sido no quedaba nada, ni el más mínimo rastro? ¿Qué se creían, que el tiempo no había pasado, que él era él? La situación no podía ser más patética y ridícula. Samuel sintió tedio de tener que participar en una venganza de ese estilo, tan pobre mentalmente, tan elemental. Un personaje sutil e inteligente lo habría invitado a comer, lo habría sorprendido con frases sobre la fugacidad de todo suceso y todo individuo, entendería que la naturaleza del universo es el cambio, la metamorfosis, la transformación de cada partícula, y que en consecuencia lo acontecido diecisiete años atrás carecía de materialidad viva, de densidad, de sustancia. No, estaba frente a una venganza común y corriente, sin sutilezas, que buscaba hacerlo pagar por lo que otro hombre había hecho mientras habitaba su cuerpo. Saldar cuentas ajenas, qué aburrimiento, pensó Samuel sin levantar los ojos del suelo.

—Señor Sotomayor, supongo que sabe por qué estamos aquí —comenzó a decir con aires de suficiencia el individuo que apuntaba a la cabeza de Eunice—. ¿Qué se creía usted, que era invulnerable, que nadie podía tocarlo? He conocido personas que se le parecen: hacen daño y después siguen tan campantes, como si nada.

Samuel hizo un esfuerzo por llegar a la realidad, por encarnar el personaje que le correspondía, y volvió a pedir:

—Ya le dije que ella no tiene nada que ver con esto. Déjela ir.

—¿Sí? ¿Adónde? ¿A la Policía, a pedir ayuda para usted? ¿Me cree imbécil? ¿Se cree que está en la biblioteca de la cárcel dándoles consejitos a presos despistados? Me subestima, señor Sotomayor.

—Esto es entre ustedes y yo.

—¿Sabe cuál es su problema? Que se cree más que los demás, que siempre se considera superior. Por eso supone que las reglas no son para usted, que está por encima, que pertenece a otra clase. Está muy equivocado. Estamos aquí para recordarle su verdadera posición.

En medio de esa conversación insulsa, teatral, Samuel vio de repente el golpe seco, certero, imposible de prever. Contra todos los pronósticos, la abuelita inválida se había convertido en una amenaza y había lanzado un soberbio puñetazo a las partes bajas de su enemigo. El hombre dejó caer el 38 largo, emitió un gemido de dolor y se dobló con ambas manos en los testículos. Eunice, con toda la fuerza de su torso protuberante y de su brazo musculoso, había cortado el discurso del matón y le había importado un cuerno irse al ataque con sus propias manos, improvisando un guión que no estaba escrito para ninguno de los actores. Seguramente, en un instante único, supo que las cosas se iban a poner feas y prefirió enfrentarse a sus agresores que huirles o temerles.

El mensaje no podía ser más claro. Samuel alcanzó a bajar la cabeza hacia un costado, sujetó la mano del otro hombre en un movimiento relámpago, la atrajo hacia su hombro derecho y le presionó con fuerza la muñeca hacia arriba hasta hacerla crujir. El revólver cayó sobre sus rodillas y escuchó un grito muy cerca de su oído. Sin embargo, no midió la respuesta que el hombre podía efectuar con el otro brazo, y lo cogió por sorpresa el golpe que lo tiró del asiento y lo hizo rodar por el piso. Se le borraron por un segundo los contornos de los objetos y la luz le pareció escasa, como si alguien la hubiera apagado. Desde el piso vio que Eunice maniobraba la silla de ruedas de un lado para otro intentando evitar que su enemigo recobrara el arma. No tuvo tiempo de reanimarse cuando una patada lo mandó contra la pared, muy cerca del umbral que comunicaba con la cocina. Sabía que tenía que ayudar a Eunice, pero no lograba hacerlo, estaba aturdido y el cuerpo no le respondía. Su oponente estaba en mejores condiciones. Una serie de patadas le cortó el aire y estuvo a punto de dejarlo fuera de combate. Sólo lo mantenía en sí el hecho de que Eunice estaba librando una batalla admirable por la vida de ambos. No podía dejarla así, abandonada, embistiendo sin ayuda alguna a semejante asesino desde su miserable aparato para inválidos. Giró las piernas a ras del suelo como si fueran un par de cuchillas cortando un césped tupido y el hombre cayó estrepitosamente. Un grito ahogado le indicó que había apoyado la muñeca herida en algún momento de la caída. Alcanzó a tomar dos o tres bocanadas de aire y se dio cuenta de que por lo menos dos costillas del costado derecho estaban rotas. Se abalanzó sobre su oponente y rodó abrazado a él hasta chocar contra la estufa. Las tabletas de la cocina estaban frías y le gustó ese contacto contra sus mejillas sudorosas. El hombre se veía aún intacto y él había quedado abajo en la posición más desventajosa. Desde ese ángulo no podía ver qué estaba pasando en la sala. Zafó una de sus manos y golpeó al sujeto a la altura del hígado con los dedos estirados, como si fuera un cuchillo intentando cortar la carne de los músculos abdominales. Era un golpe que conocía bien y que siempre le había dado buenos resultados. El hombre chocó contra la estufa produciendo un sonido metálico y entonces, con la espalda rebotando contra la puerta del horno, hizo inclinar una de las ollas que estaban sobre los fogones delanteros. Un chorro de agua hirviendo se vino sobre ellos y los obligó a separarse.

Samuel recibió el líquido sobre la mitad derecha del rostro y no tuvo tiempo para hacerse a un lado. La piel de la mejilla, de la frente y del cuello le empezó a arder y a cosquillear, como si tuviera miles de hormigas aglomeradas en esa zona de su cuerpo. También el cuero cabelludo se había quemado y le indicaba que una parte de su pelo estaba deshecha. Se concentró en su contrincante y lo vio con una mano en el estómago y la otra tocándose las quemaduras de la cabeza y de la espalda. No se podía levantar. Samuel sabía que lo único que tenía que hacer era rematarlo. Un golpe seco en toda la nariz lo sacudió una vez más contra la estufa y lo dejó desmayado en el suelo encharcado.

Mientras se puso de pie para ir a la sala tropezó con la olla vacía en un rincón de la cocina. ¿Por qué estaban hirviendo agua? De todos modos era una situación absurda y el dolor de las costillas rotas y de las quemaduras del rostro implicaba que estaba herido de gravedad. Casi no podía respirar. Cuando se asomó a ver qué estaba sucediendo en la sala se sobresaltó con una escena cuya crudeza rayaba en lo cómico: Eunice había agarrado al desconocido por el pelo y lo zarandeaba hacia adelante y hacia atrás para que se golpeara contra una de las ruedas de la silla. El tipo parecía un muñeco de trapo en las manos de una niña traviesa. Sin embargo, antes de que Samuel pudiera reaccionar, logró coger el arma que estaba justo debajo de la silla de ruedas, la levantó y disparó contra el estómago de Eunice. Dos detonaciones cortaron el aire del recinto y dejaron a la mujer quieta, sin respirar, mirando al vacío. Cuando descolgó la cabeza sobre el pecho ya la sangre empapaba la blusa color crema que llevaba puesta. Todo había sucedido en breves segundos, rápidamente, y el hombre se recostó contra la silla con la mano de Eunice aún engarzada en su cabellera. Estaba rendido de cansancio, parecía un cazador que hubiera tenido que enfrentarse a un animal poderoso y salvaje antes de aniquilarlo.

Samuel se acercó tambaleante y lo pateó en la sien dejándolo sin sentido. Tomó el pulso de Eunice y no lo encontró. Una impotencia desesperada invadió todo su ser. Dio dos pasos, descolgó el teléfono y marcó el 112, el número de la Policía. Dijo: «Hemos sido atacados. Necesitamos una ambulancia, por favor». Luego dio la dirección y dejó el aparato tirado sobre la mesa. ¿Eunice muerta por culpa suya? No podía ser. ¿Qué iba a decirle a Jacinto cuando llegara? ¿Cómo iba a explicarle que en lugar de cuidarla había terminado asesinándola por vía indirecta? ¿Iba a dejar a ese miserable con vida después de lo que había hecho? No era justo que ese matón de porquería se pavoneara después por el patio de una cárcel y que divirtiera a sus amigotes contándoles la historia de la gorda lisiada que casi había terminado por liquidarlo. Samuel se acercó al cuerpo del hombre, levantó ligeramente su cabeza con una mano, apoyó la otra en la parte de atrás, a la altura de las vértebras cervicales, y tiró con fuerza hacia abajo hasta que escuchó un leve crujido. La cabeza quedó suelta, como si le hubieran cortado un resorte interno. Lo había desnucado como un pollo en un gallinero, como un conejo, como quien suprime de la faz de la tierra una alimaña repugnante. Escuchó afuera, en la calle, voces de vecinos que empezaban a aglomerarse frente a la fachada de la casa. Lo más seguro es que hubieran oído los dos disparos. Le dolían las costillas y las quemaduras le ardían cada vez más. Se sentó en el piso, se recostó contra la pared y perdió el conocimiento.

Despertó en un hospital con la cabeza cubierta por unos vendajes que le daban la sensación de tener puesto un casco o una escafandra. Recordó lo que había pasado. Así que eso era lo que había intuido el día de la despedida con Jacinto: el abismo al que sería lanzado por manos desconocidas que venían de su pasado remoto, el precipicio que lo estaba esperando más allá de sus estúpidas ínfulas de redención. ¿Cómo explicar que era un hombre condenado a purgar una pena eterna, un réprobo? No debía acercarse a los demás. Cualquiera corría el riesgo de ser contagiado, de verse afectado por esa cercanía peligrosa. La muerte de Eunice le dolía en lo más íntimo de sus sentimientos. En la cárcel la amistad era de otra índole: entre prisioneros, entre hombres que comparten una desdicha común, conscientes del lugar en el que están y de los peligros que los acechan. Pero hacía mucho tiempo que él no sentía algo así: que no estaba solo, que en la mitad del desierto era posible tropezarse con un similar, con un semejante (ahora entendía la dimensión de esa palabra). Eunice había significado la esperanza, la salida, la luz que rompe unas tinieblas tenebrosas. Pero no, estaba equivocado. Había triunfado la oscuridad, lo suyo eran los socavones malolientes y los agujeros interminables, sin fondo. Y no saber eso a tiempo le había costado la vida a una persona inocente y extraordinaria. ¿Qué le iba a decir a Jacinto?

Una enfermera lo saludó, le revisó la bolsa de suero, le tomó la presión y salió sin darle ninguna explicación. Unos minutos después entró un hombre de unos cincuenta años, con el cabello canoso, bien vestido y con una gabardina en su brazo derecho. Samuel sintió los labios resecos y la garganta cerrada a causa de la sed.

—Señor Sotomayor, tengo que hacerle unas preguntas para la investigación que está en curso. Sé que ya puede contestarme. Le ruego que colabore, ¿correcto?

—Agua, por favor —dijo Samuel y carraspeó para tragar saliva.

El hombre le sirvió de una jarra que estaba en la mesa de noche, le alcanzó el vaso y le levantó un poco la cama para que quedara más cómodo. El líquido lo refrescó y se dio cuenta de que no sentía la mejilla derecha. Lo más seguro era que las quemaduras de esa zona fueran de cierta gravedad.

—Como le decía, señor Sotomayor, estamos investigando con mucho cuidado este caso, y sus declaraciones son fundamentales. Dígame, ¿llevaba usted en esa casa unas dos semanas, más o menos?

—Así es.

—¿Era amigo del señor Jacinto Morales desde la cárcel?

—No, nos encontramos por casualidad.

—¿Dónde está él ahora?

—Lo ignoro. Dijo que volvería en tres semanas. No sé nada al respecto.

—Su función era cuidar a la señora madre de Morales, ¿es correcto?

—Sí.

—Sin embargo, esos tipos llegaron fue por usted.

—Sí.

—¿Los había visto antes merodeando por el barrio? ¿Los había detectado?

—No pensé que alguien se acordara de mí. No estuve atento.

—¿No recibió llamadas ni nada por el estilo?

—No.

—¿Los había visto alguna vez?

—Nunca.

—Estábamos detrás de ellos hacía rato. Son terroristas reconocidos. Me dice que en ningún momento intentaron contactarlo, ¿correcto?

—Jamás los había visto.

—Suponemos que Monsalve murió desnucado contra la silla de ruedas a causa de los golpes que le dio la señora Eunice, que, con todo respeto a la memoria de la difunta, se defendió como un león. Encontramos mechones enteros de pelo y cuero cabelludo en sus dedos y sus uñas. La sangre de la silla es de Monsalve y coincide con los golpes que hay en su cabeza. ¿Estamos en lo correcto?

—No lo sé, supongo que sí.

—¿Usted llamó a la Policía cuando ya ambos estaban muertos?

—Creo que sí.

—Él disparó primero, por supuesto, y en un arranque desesperado de último minuto ella lo remató contra la silla. ¿Sí fue así?

—No lo sé, no lo vi.

—Usted estaba en la cocina luchando contra el otro sujeto, ¿verdad?

—Sí.

—Bueno, señor Sotomayor, todo coincide con lo que imaginábamos. Nos ha sido de gran ayuda. Muchas gracias.

—¿Qué pasará conmigo?

—Puede irse apenas lo den de alta. No hay cargos contra usted. Fue legítima defensa. Eran terroristas con un prontuario de años y estaban en violación de domicilio. El tipo contra el que usted se enfrentó, Félix Porras, está grave en el hospital. No saldrá de la cárcel de nuevo, se lo aseguro.

Guardó la libreta y el bolígrafo con el que estaba anotando y se llevó la mano derecha a la cabeza:

—Ah, se me olvidaba, la señora Eunice tenía un seguro funerario. Dimos la orden de que la cremaran en los Jardines de Paz. Esperamos que no le moleste. No había familiares y el señor Morales no aparece por ninguna parte. Puede recoger las cenizas cuando salga. Volverá a la misma casa a esperar a su amigo para comunicarle la noticia, ¿correcto?

Samuel asintió y notó que parecía una momia sacada de alguna mediocre película de terror. Le pesaban los vendajes.

—No me gustaría estar en su pellejo —dijo el hombre a manera de despedida, dio media vuelta y salió de la habitación.

Lo peor de todo, pensó Samuel, era que el tipo tenía razón, tanto en el sentido literal de la frase como en el fi-

246

gurado, porque su pellejo estaba quemado, quizás en carne viva, y porque darle la cara a Jacinto y decirle que ahora su madre estaba muerta por culpa suya no iba a ser nada fácil.

La misma enfermera volvió a entrar y le inyectó una sustancia en la bolsa de suero.

—¿Cuánto tiempo llevo aquí? —preguntó él sintiendo la boca pastosa.

—Cuatro días.

—¿Estoy muy grave?

—Tiene quemaduras y tres costillas rotas. El resto son magulladuras sin importancia.

—¿Cómo quedó mi cara?

—No lo sé, es mejor que hable con el médico.

La mujer salió sin decir nada más y Samuel se quedó solo en la habitación. ¿De qué grado serían las quemaduras? ¿Cambiaría la expresión de su cara cuando se quitara los vendajes y se mirara en el espejo? ¿Se reconocería o le tocaría acostumbrarse a llevar una cara nueva, la cara de un quemado, de un deforme? No tenía importancia, era estúpido preguntarse algo así cuando Eunice había muerto por salvarle la vida a él. Evocó su sonrisa, su humor negro, su ternura infinita cuando cocinaban o salían a pasear por el parque, y sintió de repente que los ojos se le llenaban de lágrimas. Llorar era una experiencia a la que no estaba habituado, se sentía extraño, como si fuera otro hombre. Le dolía que una persona tan amorosa e inteligente hubiera sido contaminada por un pasado asqueroso como el suyo. No era justo. Se limpió las lágrimas y cerró los ojos. Estaba cansado y con sueño. ¿Le habrían inyectado un calmante para sedarlo?

Durante los días siguientes los investigadores del caso lo grabaron y le pidieron una declaración más detallada de lo sucedido. Samuel se ajustó a la versión inicial. Los tipos quedaron satisfechos y le dejaron en el cuarto la urna con las cenizas de Eunice. No podía ser que otra vez se le repitiera la escena: el amor convertido en cenizas. Le quitaron los vendajes y el médico le dio algunas instrucciones que tenía que acatar para no ir a agravar el estado de las quemaduras y que éstas llegaran a infectarse. Lo citó para unos días después en su consultorio y lo dio de alta.

Regresó a la casa del barrio Quiroga en una ambulancia del mismo hospital. Tenía el torso vendado y en el rostro, seguramente para evitarle un aspecto tan patético, le habían puesto una gasa con unas tiras de esparadrapo encima. Un detective del DAS estaba esperándolo en la puerta y le dijo que habían custodiado la casa mientras él se encontraba hospitalizado. Samuel sabía la razón: estaban esperando que Jacinto apareciera para echarle mano e interrogarlo.

Apenas entró se sintió invadido por una melancolía que se le instaló en el centro del pecho, como si alguien lo estuviera abrazando poderosamente y le impidiera respirar. No se podía quitar de la cabeza la imagen de Eunice defendiéndose como podía desde su silla de ruedas («como un león», recordó que había dicho el policía en el hospital). Si estaba vivo se lo debía a ella. Se sentó en la sala, dejó la urna sobre una mesita, se agarró la cabeza entre las manos y lloró toda su amargura, su culpa, su impotencia, su inmensa soledad. Se preguntó por qué no había muerto él en lugar de Eunice, por qué la vida se empeñaba en mantenerlo ahí, herido, sin futuro, hecho una miseria, cuando lo que él deseaba era desaparecer, hacerse humo, morir.

Los días fueron pasando uno a uno sin que Samuel se diera cuenta. Comía cualquier cosa, leía, dormía, se hacía las curaciones en la piel quemada, esperaba. Su rostro había quedado maltratado desde la boca hasta la oreja derecha, parte del cuello y unos cinco o siete centímetros de cabello habían desaparecido a la altura de la sien y sobre la oreja. Pronto se acostumbró a esa figura grotesca que lo hacía pensar en otro hombre que no era él. El agua había pasado muy rápidamente por su mejilla y no la había quemado con gravedad, pero el cuello, en cambio, estaba arrugado, apergaminado, como ciertas heridas que los mendigos suelen exponer en los semáforos y en los buses para conseguir algún dinero. No sabía aún si el cuero cabelludo se regeneraría o no, pero en caso negativo podía dejarse crecer el cabello y los largos mechones caerían sobre la oreja y taparían el hueco. Cuando pensaba de esa manera, fantaseando para volver a ser el de antes, se decía que era un estúpido, un cretino arrogante que no quería aceptar la realidad: habían asesinado a una mujer inocente por culpa suya y dentro de poco él tendría que comunicarle la noticia a su único hijo, al hombre que lo había recogido a él de la calle y le había abierto las puertas de su casa como si fuera un hermano o un amigo de la infancia.

Cuando salía a comprar alimentos a las tiendas cercanas notaba que lo estaban vigilando, que el vendedor de helados del parque o los recogedores informales de basura se quedaban más tiempo del necesario rondando por la cuadra. Eran policías con sus viejas técnicas de siempre, aguardando a que los amigos de Monsalve aparecieran para el desquite o que Jacinto llegara a visitar a su madre para echarle el guante e interrogarlo a fondo.

Pero no tenía cómo avisarle: no había dejado un teléfono ni un contacto ni un buzón de correo, nada. Lo único que podía hacer era esperar que los hechos se desarrollaran por sí solos, sin impedirlos ni propiciarlos.

Una noche estaba en una de las tiendas cercanas comprando pan y un frasco de café cuando de repente un hombre se hizo junto a él y empezó a hablar en voz baja sin mirarlo a los ojos:

—El paquete que está ahí a su lado es para usted. Están vigilando la casa y no sabemos si es por nosotros o qué. No lo hemos llamado porque suponemos que el teléfono está chuzado.

—¿Cómo?

—Jacinto cayó herido. Lo recogimos y lo cuidamos lo mejor que pudimos. No se salvó. Dio instrucciones de que le entregáramos su parte a usted. Dijo que sabría qué hacer con ella.

—¿Murió Jacinto?

—Lo enterramos en una finca cerca de Bogotá para no dejar pistas. Era un buen amigo, lo queríamos. Estamos respetando su voluntad. Tenemos que dejar en claro que no lo matamos nosotros, y que no lo robamos tampoco.

—No puede ser...

—Esto está lleno de «tiras». Supongo que es por nosotros, nos están buscando por todas partes. Tenemos que abrirnos ya. Meta el paquete en una bolsa y regrese a la casa como si nada.

El hombre pagó una Coca-Cola de dos litros y un paquete grande de galletas, y salió a la calle sin decir nada más, caminando tranquilamente, como si fuera un vecino bonachón comprando dos o tres cosas para su familia. Samuel pidió una bolsa grande, metió en ella el paquete que el hombre le había dejado en el suelo, el pan y el frasco de café, y regresó a la casa con la cabeza hecha un torbellino de ideas confusas.

¿Jacinto muerto? ¿Había intuido también esa muerte al despedirse de él, cuando sintió que nunca más lo volvería a ver? ¿Había agonizado a lo largo de varios días, entre estertores y dolores atroces, sabiendo que no veía a su madre de nuevo, que no había alcanzado a decirle cuánto la respetaba y la quería? Y los compinches de Jacinto tampoco tenían ni idea de lo que había ocurrido. Todo era absurdo y confuso. Cada quien creía lo que quería creer, armaba un relato a su antojo e interpretaba los hechos según un punto de vista que encajara con esa creencia. La Policía estaba segura de que Eunice había desnucado a Monsalve contra la silla de ruedas en un arranque final de ira antes de morir mientras él se defendía del otro individuo, los amigos de Jacinto creían que Eunice seguía con vida y que la vigilancia policial se debía a ellos, y Jacinto, en su lecho de muerte, seguramente había creído que el dinero del robo le llegaría a su madre y que le permitiría vivir sin preocupaciones y con cierta holgura el resto de su vida. Lo único cierto era que madre e hijo habían muerto y que él se había quedado en el medio sin saber qué hacer. ¿Eunice había adivinado la muerte de Jacinto y por eso, quizás, viéndose que estaba atrapada en una situación extrema, había atacado a los matones buscando dos cosas a un mismo tiempo: salvarlo a él y morir ella? Nada era seguro, la suya era también una mirada subjetiva, limitada, y los principales protagonistas no podían ya opinar ni sugerir porque estaban ahora del otro lado de la línea.

Samuel no cambió la rutina y mantuvo el encierro mientras veía cómo su cuerpo se iba mejorando poco a poco. No asistió a las consultas con el médico y se acostumbró a ver en el espejo a ese nuevo sujeto cuya cara quemada le daba un aire de desvalimiento y amargura. Contó los cien fajos en billetes de cincuenta mil que el hombre le había dejado sobre el piso de la tienda: cien millones de pesos. Una cifra exorbitante en un país pobre como Colombia, pero al mismo tiempo, viendo el dinero compacto y apretado con cintas aislantes, no era gran cosa. Lo dividió en cinco paquetes de veinte millones cada uno y los escondió en distintos lugares de la casa. Si la Policía decidía entrar a revisar una vez más cada uno de los rincones de la vivienda de los Morales, quería asegurarse de que no fueran a encontrar un solo centavo. Aún no sabía qué iba a hacer con la plata, pero de lo que sí estaba seguro era de que no se la dejaría a ellos.

Al cabo de tres meses, una tarde cualquiera, sonó el timbre. Samuel abrió la puerta y se tropezó con el detective cincuentón que lo había interrogado en el hospital. Lo hizo seguir hasta la sala. El agente fue directo al grano:

—No hay rastros de su amigo por ninguna parte.

—Eso parece.

—¿Tiene alguna idea de dónde pueda estar?

—No me dijo adónde iba ni con quién.

—Para no involucrarlo.

—No lo sé.

—Mire, Sotomayor, voy a ser sincero con usted: no sabemos si no ha aparecido porque descubrió que tenemos la casa vigilada y se asustó, o porque sencillamente está muerto y estamos esperando la visita de un fantasma.

—Lo que yo le diga es irrelevante.

—Se equivoca, su opinión es muy importante. ¿Qué piensa usted?

—Que lo mataron.

—Piensa con el deseo.

Samuel no contestó y el silencio tensionó la atmósfera entre los dos.

—No era mi intención ofenderlo. Hablo con absoluta franqueza. Es lo mejor que a usted le podría pasar. ¿Correcto?

Había pensado miles de veces en ello y sabía que el detective tenía la razón. Pero no estaba dispuesto a confirmarle una hipótesis semejante. Le dijo sin agresividad:

—Lo que usted crea no mejora en nada mi situación.

—Sabemos que el dinero que dejó Jacinto se agotó hace semanas. Su cuenta de ahorros está en cero. Sin embargo, usted ha continuado pagando los servicios y comprando su comida. Si no es mucha indiscreción, Sotomayor, ¿de dónde está sacando la plata?

—De los ahorros que traje de la cárcel. Pero eso también se me está acabando. Dentro de poco tendré que irme.

—¿Y qué piensa hacer?

—No lo sé todavía. Pero no puedo quedarme aquí toda la vida.

—Eso está claro.

Se levantó, caminó hasta la puerta y terminó la conversación afirmando:

Nosotros tampoco podemos quedarnos aquí vigilando el aire mientras hay miles de casos pendientes por resolver. Necesitamos la gente, así que hoy nos retiramos y quería que lo supiera. Lo que usted haga o deje de hacer con su vida ya no es de nuestra incumbencia. Le deseo lo mejor, Sotomayor. Sé que no es usted un mal tipo.

Le estrechó la mano, abrió la puerta y salió a la calle sin mirar atrás.

Samuel terminó su convalecencia en buenas condiciones. Las costillas sanaron y de las quemaduras lo peor era la zona del cuello y la parte de cuero cabelludo que había quedado recogida, con dobleces, como una tela arrugada. Pero le volvió a salir pelo y sabía que tarde o temprano ese pedazo quedaría tapado. Se empezó a dejar la barba y se dijo que quizás, con suerte, la parte derecha del cuello también quedaría cubierta. Lo que lo sorprendió fue verse tan canoso; en el espejo iba tomando el aspecto de un abuelo bonachón cuando no había cumplido todavía los cuarenta años. Estuvo pendiente observando cualquier movimiento que sucedía en los alrededores de la casa, y en efecto, como le había anunciado el policía, los agentes habían sido retirados y ya nadie lo vigilaba. Tampoco aparecían los amigos de Monsalve, así que muy posiblemente se quedaría sin saber quién los había contratado para seguirlo y eliminarlo. De lo que sí estaba seguro era de que se trataba de algún viejo integrante de la organización. Y pensándolo bien, podía ser cualquiera, daba lo mismo.

Una mañana empacó sus cosas, metió las cenizas de Eunice en la urna del viejo Ezequiel, escondió el dinero en un maletín de cuero, se despidió de esa casa cuyos recuerdos le herían la conciencia y salió a la calle con el firme propósito de no volver. Se dijo que ahí estaba la ciudad otra vez, lista para atacarlo, dispuesta a combatir otro round contra él. Lo grave de su situación era que esta vez se sentía más débil que nunca, cansado, deprimido, y que no tenía ganas de luchar. Muchas veces había pensado en el suicidio, en terminar de una vez con esa pesadilla abominable que era su vida, pero no entendía qué lo detenía. Había algo allá en el fondo, una extraña fuerza que permanecía agazapada, que no lo dejaba atentar contra sí mismo. Lo mejor, siguió diciéndose Samuel mientras caminaba hacia la avenida Caracas, era subir al cuadrilátero y esperar un *knock out*. Eso pondría el punto final a esa historia de la que ya no sabía cómo escapar. Que ganara la ciudad, a él qué le importaba.

Alquiló un apartamento modesto en el barrio Belén, una construcción que habían derivado de una casa de familia, y desde la parte de atrás, desde un patio que tenía sembrados tomates de árbol, alcanzaba a divisar la casa que alguna vez le había servido de refugio antes del atentado contra Altamirano. Con la plata abrió cinco cuentas de ahorros diferentes para evitar los acostumbrados interrogatorios sobre la procedencia de los dineros. Sumas muy grandes eran sospechosas de narcotráfico y de lavado de dólares, y la verdad era que él no tenía como justificar esas entradas. Así que se camufló en cuentas de máximo veinte millones, en corporaciones modestas, y dijo que era comerciante de ropa entre Medellín y Bogotá. Estuvo atento a ver si lo seguían vigilando desde lejos, desde la sombra, agazapados, y tuvo la impresión de que los agentes sí se habían retirado definitivamente de su caso. Así era el país, pensó, la gran mayoría de las investigaciones quedaban a media marcha, inconclusas, y la administración de justicia era un animal torpe, ineficiente y corrupto. Eso propiciaba la justicia privada, el hecho de que cada quien se la tomara por propia mano.

Y comenzó, entonces, la peor época para Samuel. Se descolgó hacia unos abismos de sí mismo que jamás había explorado. No le interesaba nada, cada mañana era el aviso de un día más en el infierno. Sentía asco de su permanencia en un mundo que despreciaba, un mundo insulso, soso y dañino, traicionero, que estaba esperando cualquier descuido para atacarlo. Si seguía con vida no era porque lo hubiera deseado, era un accidente, cuestión de azar, mala suerte.

Desde joven, pensó Samuel, había sentido una distancia enorme con respecto a sus compañeros de colegio o de universidad, y más tarde esa impresión se extendió a todo tipo de gente que intentara intimar con él, agraciarlo, simpatizarle. No sabía a qué atribuirle esa distancia, pero estaba ahí, era obvia, y le impedía compartir las ilusiones de los demás, sus sueños, sus expectativas hacia el futuro. Tal vez se debía a que él había tenido la muerte muy cerca desde niño, la conocía, la había saboreado, y esa experiencia cambiaba la visión de cualquiera con respecto a lo que lo rodeaba. Quien ha reflexionado sobre la muerte una y otra vez hasta el cansancio, quien sabe de la caducidad de toda existencia, quien se ha codeado con la finitud, por así decirlo, vive en un nivel diferente, está más allá de las fantasmagorías de la inmediatez y los reflejos de los fuegos artificiales no lo encandilan ni lo deslumbran. Sin embargo, esa distancia siempre lo había hecho sentirse culpable, arrogante, engreído, y había intentado negarla para vivir como los otros. El fracaso había sido estruendoso y las consecuencias saltaban a la vista. No, él no debía llevar una vida como los otros, él tenía que estar al margen, por fuera, buscando un espacio apartado donde no molestara a nadie y donde por fin se sintiera cómodo.

Y entonces, muy lentamente, Samuel empezó a beber licor desde el mediodía en adelante. Vagabundeaba de aquí para allá por las calles del centro de la ciudad durante una hora o dos, se tomaba unas cervezas para acompañar el almuerzo (única comida que ingería en el día), y en las horas de la tarde andaba de tienda en tienda y de taberna en taberna pidiendo pequeñas copas de aguardiente. Bebía callado, en un rincón del local, sin mirar a nadie, sin entablar conversaciones insulsas, sin preguntar nada. Cuando sentía que lo miraban en exceso y que estaba llamando la atención, se levantaba, pagaba la cuenta y salía a la calle en busca de otro lugar donde pudiera estar solo y pasar inadvertido. El alcohol se iba apoderando de su cerebro sin violencia, pausadamente, como si fuera una larga caricia, y cada vez le gustaba más ese adormecimiento de los sentidos, ese letargo que lo calmaba, que le brindaba un reposo en el que era posible descansar de sí mismo, dejarse a un lado, no recordar esa amarga biografía que tanto le pesaba.

Se daba cuenta de que estaba alcoholizándose porque no era capaz de reagrupar sus fuerzas y ponerlas en una misma dirección. Todo lo contrario, estaban dispersas, difuminándose en el aire, y él no tenía ningún interés en proponerse y alcanzar objetivos, en ejercitar el supuesto poderío de su voluntad. No, se dejaría caer sin hacer nada, sin defenderse, como un muñeco de trapo arrojado a la corriente de un río caudaloso.

Después de las seis de la tarde se quedaba en el barrio Santa Fe, en la zona de tolerancia, entre prostitutas, chulos, beodos, ladrones y putañeros de la peor calaña. Se sentía a gusto entre ese tipo de gente: eran como él, marionetas de un destino negro y funesto. Jamás se había sentido bien en locales lujosos para personas adineradas. Había algo que le disgustaba en esa opulencia insultante, en esa seguridad que otorgaba la riqueza, en esa hilaridad hueca y banal. Por eso no se acercó a los bares de la Zona Rosa y evitó el norte de la ciudad. En el barrio Santa Fe siempre encontraba una tienda o un burdel donde el aguardiente era barato y donde podía observar a la fauna de los bajos fondos sin ser molestado. Le agradaban los ladrones que llegaban con relojes y con cadenas de oro para las amantes que tenían en las casas de citas, los pobres trabajadores que buscaban con urgencia unos minutos de sexo barato y los hombrecitos contrahechos y tímidos que se enamoraban perdidamente de las muchachas y que llegaban a llorar su desamor, a suplicarles que abandonaran ese trabajo y que se fueran a vivir con ellos una vida decente y confortable. Ellas se reían en secreto de esas propuestas, explotaban a esos clientes hasta dejarlos en la calle y luego los despreciaban por haber evidenciado de una manera tan vergonzosa su debilidad y su falta de carácter. Samuel disfrutaba con esas escenas melodramáticas y se embriagaba en silencio vigilando el movimiento de las pasiones de esos pobres seres marginales que se revolcaban en el fango en el que él también había quedado atrapado. Ahora entendía por qué Carlos Bahamón, su amigo de prisión, había pasado toda una vida estudiando ese barrio y de dónde había extraído la sabiduría para escribir esa novela con la cual había ganado el premio de literatura.

Lo que no hizo nunca durante este tiempo fue leer. Le parecía innecesario, aburrido y estúpido seguir leyendo. Él estaba ahora en los infiernos y allí las palabras no tenían ningún sentido, era una zona donde todo lenguaje fracasaba y se hundía en el silencio.

A veces, entre copa y copa de aguardiente, le llegaba el recuerdo de Eunice. Eran imágenes punzantes que le atravesaban la memoria de una manera dolorosa. Se preguntaba si ella había presentido también la muerte de Jacinto, si sabía que no lo iba a volver a ver. Tal vez por eso había atacado a los matones: porque era consciente de que no iba a soportar ese sufrimiento y prefería irse antes de que le llegaran con la noticia de que a su hijo le habían llenado el estómago de plomo. ¿Sí había sido así, o estaba él arreglándolo todo para limpiar en parte la culpa que lo atormentaba?

En las horas de la noche buscaba los lugares menos concurridos y se quedaba hasta la una o dos de la mañana bebiendo sin hablar con nadie y observando las idas y venidas de las muchachas y sus clientes. Luego salía a la calle y se iba caminando hasta su pequeño apartamento del barrio Belén. Con la barba y el cabello largos, con los pantalones de segunda mano que había usado durante años en la cárcel y con los zapatos viejos y trajinados, daba la impresión de un indigente más de los tantos que solían tragarse las calles de la ciudad en las horas de la noche. Llegaba a su casa, se cercioraba de que las cenizas del viejo Ezequiel y las de Eunice estuvieran en su sitio, y se acostaba a dormir con la cabeza flotando y el cuarto dando vueltas a su alrededor.

Se levantaba hacia las once de la mañana y se iba hasta las cercanías de la cárcel. Buscaba una calle donde ninguno de los funcionarios o de los guardias lo fuera a encontrar por casualidad, y se quedaba contemplando las garitas, las celdas con la ropa colgada hacia fuera y uno que otro corredor de los pisos altos que se alcanzara a divisar desde el sitio donde él estaba. Extrañaba ese rincón separado del resto del mundo, ese universo cerrado donde se había acostumbrado a vivir lejos de las calles, los semáforos, los carros, los letreros publicitarios y las multitudes malencaradas que andaban siempre de prisa, como autómatas, como muñecos mecánicos con los ojos puestos en la nada. Y la biblioteca, ¿estaría intacta? ¿Quién daría ahora las instrucciones, quién cuidaría los libros, quién recomendaría un autor u otro? Entonces se bebía la primera cerveza del día y el ciclo volvía a comenzar.

A las pocas semanas de llevar esa rutina delirante, Samuel notó que el cuerpo entraba en un estado de dependencia respecto al alcohol. Al principio bebía por tedio, por hastío, por desesperación, pero con el paso del tiempo empezó a darse cuenta de que estaba bebiendo por necesidad, porque el propio cuerpo le reclamaba ya una dosis de alcohol. Sentía la boca reseca, salivaba con facilidad, le sudaban las manos, se volvía irascible, respiraba más rápido de lo normal, hasta que sentía el primer trago de aguardiente bajándole por la garganta e incendiándole el estómago. Entonces se calmaba, respiraba con tranquilidad e ingresaba en ese estado de ánimo donde todo le daba lo mismo. Era el círculo del vicio, la rueda de la esclavitud en la que el alcohólico perdía su libertad y se convertía en un animal obediente girando desde la mañana hasta la noche en torno a sus pequeñas dosis para sobrevivir.

Una tarde, una de las muchachas, que lo había vigilado a lo largo de los meses en uno de los burdeles del barrio Santa Fe, lo agarró de la mano y lo condujo al segundo piso del local. Allí abrió una puerta que conducía a una pequeña terraza interna y le mostró la vista de los cerros de Monserrate y Guadalupe. Encendió un pequeño cigarrillo de marihuana y se lo pasó. Samuel había fumado algunas veces en la cárcel, sobre todo al comienzo, cuando el peso de su pasado reciente le impedía conciliar el sueño. Pero con el tiempo le había perdido el encanto y muy de vez en cuando, en temporadas de angustia o de aburrimiento extremo, había vuelto a probarla. Esta vez la aceptó sin decir nada. Le parecía maravilloso que la joven lo hubiera elegido para compartir con él ese pequeño rincón desde el cual la ciudad parecía una bestia adormecida. Había sido un gesto de inmensa generosidad que no tenía cómo pagarle.

—Vienes casi todos los días, te sientas bien calladito a beber aguardiente y luego te vas como si nada. Algo te pasa, estoy segura —comentó la chica con el cigarrillo en la mano.

—No hay nada de raro en eso.

—Nunca entras con ninguna de nosotras a las habitaciones.

—No es obligación entrar.

—Lo sé, bobo, pero es raro verte ahí mirando el piso horas enteras. No me vengas a decir que eso es normal.

—No me dan ganas, eso es todo.

—Yo no soy idiota, a ti te pasa algo.

Se veían los tejados de las otras casas, las montañas imponentes cruzando la ciudad de Sur a Norte y arriba un cielo nublado y grisáceo a punto de soltar un aguacero. El característico cielo bogotano, pensó Samuel ya bajo el efecto de la marihuana, hasta cuando hacía sol parecía que fuera a llover.

—¿Por qué no entras conmigo?

La realidad empezó a dilatarse, a volverse maleable, como de goma o plastilina. La joven se acercó y le dio un beso en la boca. Samuel se estremeció. Su cuerpo despertó de ese letargo permanente en el que lo tenía sumido. Vio las piernas de ella bien torneadas, las caderas anchas, el culo voluminoso, la melena teñida de rubio hasta la mitad de la espalda, y un ramalazo de deseo le quitó el aliento y lo hizo suspirar. ¿Por qué no? ¿Por qué no entrar con ella y perderse en su cuerpo y olvidarse de sí mismo y del mundo? ¿Qué era lo que tenía que perder? La abrazó, la besó largamente en la boca y le dijo:

—Sí, vamos.

—¿No te vas a arrepentir en la mitad?

Samuel negó con la cabeza.

—Lo único que te pido es que te bañes primero. Estás muy descuidado.

—Listo —contestó Samuel sin ofenderse.

Fue una tarde salida de lo común. Pagó cuatro turnos seguidos con tal de seguir teniendo a la muchacha entre sus brazos. No quería separarse de ella. Cuanto más hacían el amor, más la necesitaba, más miedo le daba volver a estar solo, más deseaba su piel joven, tersa, acaramelada. No sabía si era por la marihuana o por la larga abstinencia a la que había sometido a su cuerpo, pero se sentía hipersensible, excitado, feliz de poder liberarse de una fuerza negativa que le hacía daño y lo aplastaba contra el piso.

A la salida le dio a la joven una suma extra por sus servicios, se despidió de ella lo más cariñosamente que pudo y salió a la calle sintiéndose más ligero, como si hubiera bajado de peso o estuviera caminando por la Luna. Esa tarde no se emborrachó y se quedó en la plaza de Bolívar mirando a la gente pasar. Era el primer recreo que se tomaba en medio del infierno.

A partir de ese día pensó a menudo en la alegría que le producía siempre acostarse con una mujer, acariciarla, sentir su proximidad, su respiración, ver el brillo del placer en sus ojos, y lo lejano, sin embargo, que había estado de ellas en el plano afectivo. Desde muy joven, desde su captura a mediados de los años ochenta, había aprendido a estar solo como una estrategia para aguantar mejor la reclusión, el aislamiento y los rigores de la cárcel. Había visto a muchos prisioneros enloquecerse, llorar, aullar, abrirse la cabeza contra los muros de sus celdas y terminar al final sentados en un rincón del pabellón psiquiátrico balbuceando incongruencias y con el cuerpo atiborrado de sedantes. Todo porque una novia o una esposa no había vuelto a las visitas conyugales y se había ido con otro hombre. Desde las primeras semanas se dio cuenta de que ésa era la peor tortura, el mayor sufrimiento del convicto. Por eso, durante diecisiete años, se había mantenido lo más distante posible de las dinámicas amorosas. Sus amantes habían sido buenas amigas que aceptaban el sexo como un ejercicio de equilibrio físico y mental, pero donde estaba prohibido cifrar esperanzas de posesión y de una relación conyugal estable. Eso le había permitido aguantar más o menos en buenas condiciones los años de prisión, que, en su caso, habían sido también los años de juventud. Y ahora, ya casi cuarentón, canoso y cansado, se preguntaba de qué se había perdido, cuántos instantes maravillosos y plenos que los demás habían vivido como episodios normales de sus vidas, a él le habían sido negados. El problema era que ya no podía hacerse ilusiones en ese sentido; se había hecho tarde y ahora lo único que anhelaba era morirse y terminar de una vez con esa historia pesada y asfixiante que era la suya. De algún modo se había convertido en un lobo salvaje, arisco, que cazaba solo y dormía solo y aguantaba el invierno solo. Sin embargo, cuando veía una casa echando humo por la chimenea y se acercaba a contemplar los perros domésticos con su plato de comida caliente y sus cachorros bien protegidos, sentía envidia y un frío glacial le estremecía el cuerpo entero. Pero era una sensación momentánea, luego volvía a recorrer la estepa y a disfrutar de su libertad.

Así fueron pasando los meses para Samuel: entre el vagabundeo constante por el centro de la ciudad, el licor, una que otra muchacha, algún cigarrillo de marihuana que les compraba a otros vagos en la calle, y el ocio deprimente de una existencia que él había decidido arrojar a la basura. Los recuerdos seguían ahí, agazapados en su memoria, y a veces le jugaban malas pasadas. Gastaba los intereses del dinero que Jacinto le había dejado, la barba le había cubierto casi por completo las quemaduras de la cara, el pelo le colgaba más abajo de los hombros, seguía sin amigos, nadie lo había vuelto a perseguir para matarlo, y en el barrio Santa Fe le decían el Profeta por la apariencia bíblica que emanaba de su figura, como si fuera un discípulo de Jesús extraviado en una ciudad tercermundista. En varias ocasiones habían intentado sacarle información (¿quién era?, ¿qué hacía?), pero siempre se tropezaban con esa mirada gélida y ese mutismo agresivo que acababa por intimidar a quien se atrevía a formular tales preguntas. Hasta que la zona de tolerancia lo aceptó como un personaje más del sector, un misterio, un hombre extraño detrás del cual, seguramente, se escondía una historia que por ahora era imposible descubrir. Y Samuel siguió hundiéndose y hundiéndose, a la espera de una muerte que no llegaba, hasta que un encuentro lo sacó de ese ensimismamiento destructivo.

Una noche estaba caminando por la calle 23 hacia la avenida Caracas cuando una mujer, desde el portal de un motel barato, se le insinuó con descaro. La escena no tenía nada de especial, las que trabajaban en la calle intentaban capturar a sus clientes bajándose la blusa o diciéndoles frases morbosas para que ellos se acercaran. Sin embargo, fue la voz lo que detuvo a Samuel, la entonación, el timbre con el que se habían pronunciado las palabras. Paró y contempló a la mujer: tenía ligeras arrugas alrededor de los ojos, estaba flaca, agotada, con una falda fosforescente y zapatos blancos trajinados que brillaban en la oscuridad. Llevaba el pelo trenzado en la parte de atrás. Emanaba de ella la misma ternura de siempre. Sólo que estaba vez el desamparo, la miseria y la necesidad aumentaban esa sensación de desprotección que siempre la había caracterizado. Era Rosario. Ella, por supuesto, no lo había reconocido, y cuando él se detuvo para contemplarla mejor, ella insistió en sus propuestas sexuales:

—Venga, mi amor, yo lo trato bien, sin afanes, y puede hacerme lo que quiera.

Samuel apresuró el paso y en la avenida Caracas se sentó en el andén y se agarró la cabeza con las manos. ¿Rosario prostituida, en la calle, sin tener con qué comer? ¿Cuánto tiempo llevaría así? ¿Sería esa la razón por la cual había desaparecido: la vergüenza de saberse un ser indecente y despreciable? ¿Había pasado él varias veces frente a ella sin reconocerla? ¿Cómo había llegado hasta ahí? ¿No era cruel constatar que las dos mujeres con las cuales había tenido relaciones serias, Constanza y Rosario, habían terminado ambas en lo más bajo de la escala social, como putas que se van a la cama con cualquiera por quince o veinte mil pesos? ¿Qué sino trágico se cernía sobre él? ¿Qué dios macabro se empeñaba y se complacía en atormentarlo hasta límites casi delirantes?

Se le había pasado la borrachera, y el encuentro, en vez de deprimirlo y de hundirlo aún más, le produjo la sensación de haber tocado fondo, de haber llegado a lo más profundo. Ahora se trataba de pisar con fuerza y de impulsarse hacia arriba. No más, estaba harto. Ahí concluían sus deseos de aniquilamiento y destrucción. Si seguía con vida era por algo, y aún tenía asuntos pendientes: tenía que viajar al desierto guajiro y cumplirle la promesa al viejo Ezequiel. Aprovecharía la ocasión y dejaría también allí las cenizas de Eunice. Era preciso escapar de Bogotá, romper el cerco maligno de esa ciudad endemoniada, sádica y venenosa. No más, no aguantaba más.

En los días siguientes retiró de las cuentas la mitad del dinero, metió la plata en un maletín deportivo, escribió una escueta nota que decía: «De un viejo amigo», y salió a buscar a Rosario en la misma cuadra donde la había visto. Sabía que estaba en deuda con ella y que no la podía dejar así, tirada en la calle como un perro. No fue difícil dar con ella. Se paraba en el mismo portal todas las noches. A cambio de unos pesos, le pidió a otra mujer el favor de llevarle el maletín a Rosario y entregárselo. «Es que nos acabamos de separar. Es su ropa», explicó Samuel. Vigiló la escena con cautela escondido detrás de una caseta de comidas callejeras. Rosario había abierto el maletín y se había quedado muda de asombro. Le preguntó a la compañera quién le había dado eso, dónde estaba esa persona, y miraba a lado y lado buscando al dueño de la nota. Samuel se escapó rápidamente por la avenida Caracas hacia el Sur. Pensó en que el famoso sueño de La Alhambra que alguna vez le había contado Rosario, había terminado mucho peor de lo que él había imaginado: en un motel barato con unas sábanas sucias y con un cliente resoplando encima de ella. La crudeza de la realidad… Los millones que le había dejado no la convertían en una persona adinerada ni mucho menos, pero le permitirían, al menos, salir de la prostitución y ganarse la vida en un oficio menos denigrante. El resto lo reservó para sí mismo, pues en el fondo de su conciencia una voz le decía que, de una u otra manera, ahora sí había llegado la verdadera hora de buscar la redención.

La cita con Rosario era la que tenía pendiente con su pasado, y ya se había cumplido. El círculo se había cerrado. El prisionero 212 ya no existía. Ahora estaba realmente libre. Se podía ir en busca del mar y del desierto.

Capítulo ix

EL MAR Y EL DESIERTO

Samuel empacó sus dos mudas de ropa y agarró la urna con las cenizas de don Ezequiel y de Eunice. La verdad era que estaba feliz de largarse de la ciudad. Su vida estaba liquidada, en cuidados intensivos, y sólo estaba esperando desconectarse de los aparatos que lo mantenían aún apegado a una existencia insignificante. Y el momento por fin había llegado. En consecuencia, el día en que les entregó a los dueños el apartamento y cerró definitivamente la puerta que daba a la calle, sintió un alivio sin límites. No pensaba volver a él y se alegró de no tener que verlo otra vez en el futuro, pues hay sitios que se vuelven símbolos de procesos autodestructivos que no deseamos recordar ni repetir. Las noches en vela, los suspiros, la tristeza, la amargura de una vida que se va haciendo polvo, todo eso queda impregnado en los muros, las puertas y los objetos, como si fuera un olor a mortecino que intentamos combatir con desinfectantes y líquidos aromatizados, y que, sin embargo, allá, escondido entre las fragancias de pino y de lavanda, permanece intacto.

Así que, pasara lo que pasara, no regresaría nunca más a ese ataúd.

Acababa de cumplir cuarenta años y le pareció curioso que desde el día en que lo habían metido preso, en 1984, no había dejado de pensar que los veinte años que había pasado Ulises lejos de Ítaca eran una eternidad. Ahora, en el año 2004, veinte años le parecían apenas un sueño pasajero.

Decidió viajar por tierra. Primero por ahorrar dinero y luego por el placer de sentir el desplazamiento, de ser consciente del movimiento que lo alejaba de un pasado que no tenía la intención de recobrar. Porque viajar es, de alguna manera, una forma inteligente de dejarse morir.

Antes de subir al autobús que lo llevaría a Santa Marta a través del Magdalena Medio, Samuel se dijo en la Terminal de Transportes en voz alta:

—No más, se acabó. Llegó la hora de cumplir las promesas —apretó la urna con fuerza contra su cuerpo—. Necesito volver a nacer.

Una voz le avisó por los altoparlantes la salida de su autobús.

***

Se alejó de las vías céntricas de la ciudad poco a poco, a media marcha, aguantándose el pesado tráfico urbano, los semáforos dañados y la congestión de automotores privados y públicos que tanto caracteriza a Bogotá. Los barrios de la periferia aparecieron con su inconfundible mezcla de cemento y de ladrillo que los hace pesados a la vista, monótonos y repetitivos hasta el cansancio y la saciedad.

Samuel iba en un asiento junto a la ventana y su mirada se perdía en cada una de esas calles estrechas y atiborradas de letreros que anuncian restaurantes, droguerías, ferreterías, bodegas de materiales para construcción, panaderías y negocios de misceláneas. Se dijo mentalmente, como si estuviera pensando en otra persona: «El mapa que estaba construyendo Efraín Espitia era una idea magnífica. Una ciudad sensorial, corporal, material. Los organismos de seguridad creyeron que era un plan de atentados terroristas y lo habrán analizado de mil maneras buscando claves y códigos secretos, cuando en realidad era una obra de arte».

Y mientras el bus lograba romper el cerco del tráfico capitalino y le permitía divisar ya las verdes praderas de la sabana bogotana, los sauces llorones, los pinos y los eucaliptos, Samuel sentenció para sus adentros: «Ese proyecto era una fisura para ingresar en otra realidad, un túnel que conducía a otra dimensión, una puerta de entrada a otro mundo».

***

En la medida en que va descendiendo de la cordillera, un clima templado y cálido entra por las ventanas del autobús y le hace quitarse la chaqueta y el saco. Los asientos son cómodos y, reclinando el suyo ligeramente hacia atrás, intenta dormirse para descansar. Cierra los ojos y sólo escucha el ruido del motor que avanza a toda velocidad por la autopista. La expresión de su rostro es contemplativa, distante y extática, como si fuera un santón meditando en las afueras de algún santuario budista en Hyderabad.

Así, a medio camino entre el sueño y la vigilia, le llega a la memoria una breve conversación que escuchó una tarde entre dos empleados que estaban almorzando en un restaurante popular. Uno de ellos le comentó al otro:

—Mercedes me abandonó.

—¿Se fue con otro?

—Se fue para la costa —dijo el empleado negando con la cabeza—. A las mujeres no hay quién las entienda.

—Pero qué, ¿le dio alguna explicación?, o se voló sin decirle nada.

—Fue una vaina rarísima, hermano.

—Por qué.

—Fue muy raro. Ella empezó a sentirse mal, se le iban las luces, se desmayaba, hablaba dormida con una voz que no era la suya, como si estuviera poseída. Daba miedo.

—Y qué decía.

—Que necesitaba ver el mar, que el agua la estaba esperando, que no podía seguir llevando la vida que llevaba.

—¿No será que se fue con otro man?

—No creo, hermano. Se desmayaba de pronto en la calle y comenzaba a hablar de barcos, de tormentas y de islas. Parecía loca o trabada, rarísimo.

—Y usted qué hizo.

—Pues dejarla que se fuera, qué más iba a hacer. Una noche hizo la maleta, me dio las gracias y se fue para el Terminal de Transportes. Quería llegar a Bucaramanga y después seguir hasta Santa Marta. En el fondo le confieso que sentí un alivio, porque estaba tan loca que me daba miedo quedarme dormido junto a ella. De pronto le daba por matarme o una vaina por el estilo.

Entonces Samuel se imagina la llegada de esa mujer desconocida a la playa, esa mujer que ha sido poseída por el mar a cientos de kilómetros de distancia, entre las calles caóticas de una ciudad fría y lluviosa, y se identifica por completo con esa emoción que la desborda al ver allá, lejos, la línea acuática del horizonte. Y se duerme en el bus con esa imagen merodeando entre los intersticios de su cerebro.

***

Se despierta y el bus está detenido, en silencio, y los pasajeros no suben ni bajan con el acostumbrado alboroto que suelen hacer en las paradas. Samuel advierte una voz que dice:

—Es un retén militar.

Pone el asiento en posición ortogonal y se frota los párpados con ambas manos para instalarse plenamente en la realidad. En efecto, dos soldados van exigiendo los documentos de identidad puesto por puesto e interrogan a los mayores con preguntas de rutina. Cuando llegan frente a él le ordenan:

—Papeles.

Les entrega la cédula de ciudadanía y uno de ellos, revisándola, le dice:

—Números.

Repite los números del documento y el uniformado los comprueba con la cédula en la mano. Luego le pregunta:

—Ocupación.

Dice «literato» con la voz apagada, como si fuera un secreto. El uniformado levanta una ceja y lo contempla con recelo. Enseguida continúa con su interrogatorio:

—Motivo del viaje.

Turismo —responde él con naturalidad.

—Para dónde va.

—Para Santa Marta.

Le regresa el documento y le dice a manera de despedida:

—Que tenga buen viaje.

—Gracias —responde Samuel con un suspiro de alivio.

Terminan de revisar la identidad de los pasajeros y se da cuenta de que dos de ellos, dos jóvenes campesinos con sus humildes mochilas al hombro, han sido detenidos y están parados a un lado del camino. El bus arranca y ve su rostro en el reflejo del vidrio con perlas de sudor en la frente y en las sienes. Sabe que la presencia de los militares lo ha puesto nervioso y que quizás ha despertado en él algunos viejos fantasmas. Piensa: «La memoria siempre está ahí, agazapada en el presente y planeando emboscadas para que nos hundamos una y otra vez en la miseria de nuestro pasado».

***

El ayudante del chofer pone en la videocasetera una película de acción con las acostumbradas persecuciones de autos, las patadas voladoras, los mafiosos colombianos y los traficantes de armas de origen árabe. El público masculino está dichoso y no retira los ojos ni un solo segundo de la pantalla. Las mujeres, en cambio, más bien aburridas, dormitan o miran por las ventanas.

Hacia las dos de la tarde paran en un restaurante rodeado de árboles y de palmas que refrescan el bochorno de la tierra caliente que sienten apenas descienden del autobús. Varios ventiladores están instalados muy cerca de las mesas y unas morenas caderonas y con generosos escotes atienden con sus sonrisas blancas y perfectas. Lo primero que hace Samuel es pedir dos cervezas bien frías. Después, aliviado y con rastros de espuma todavía en la comisura de los labios, pide una carne asada y otra cerveza.

Unos minutos más tarde le traen una bandeja enorme con arroz, ensalada de lechuga, tomate y cebolla, dos patacones redondos y crujientes, y un pedazo de carne fina y jugosa que ha sido dorada hasta alcanzar una textura que de sólo contemplarla le llena la boca de saliva y lo deja sin palabras. Come como un salvaje, sin hablar, mordiendo y masticando con los ojos fijos en el plato, como si llevara tres o cuatro días sin probar bocado. Apenas termina ataca la otra cerveza y se queda mirando al frente con una expresión obvia de satisfacción en el rostro. Saca unos billetes arrugados que lleva escondidos en la chaqueta, cuenta el dinero sin llamar la atención y paga lo que la mesera le indica.

Entra al baño para orinar y lavarse la cara, y sube al autobús en fila con los demás pasajeros. En ningún momento ha abandonado la urna y la lleva con él a todas partes. Uno que otro curioso lo mira de reojo.

***

Ya sentado otra vez en su puesto y rodando a más de cien kilómetros por hora, con el estómago pesado por el almuerzo, Samuel gira la cabeza y mira por la ventana los pastizales costeños y los hatos de ganado cebú con bandadas de pájaros blancos revoloteando encima de sus lomos. Cerca de Aracataca comienza a sentirse mareado, con fiebre, y las amígdalas se le ponen como dos pelotas de golf. Cree que se está enfermando porque en silencio, sin compartir sus pensamientos con nadie, está reflexionando sobre lo que ha sido su vida miserable y sin sentido, su largo peregrinaje para llegar a ninguna parte. Es consciente de que se ha negado a hacer un ajuste de cuentas consigo mismo. Está dejando atrás su pasado, sí, está escapando, muy bien, pero ¿qué es en realidad ese trozo de existencia inútil del que no quiere responsabilizarse? ¿Cómo diablos ha administrado esa porción de vida que lo tiene ya en los cuarenta años de edad? ¿Qué le ha faltado? Fe, ganas, convencimiento, certeza de que él es capaz de construir un mundo con un estilo propio y unas señas particulares. No basta con ir improvisando una vida a trompicones. Es preciso luchar y defender unos ideales. Hay que meterle al asunto terquedad, dureza, carácter. Hay que estar dispuestos a sacrificarse, a crucificarse sin lloriqueos ni lamentaciones. Ese había sido su problema: que él no creía en su voluntad y que no había tenido a su alrededor un grupo de amigos o de colegas que lo estimulara y le brindara la seguridad de la que carecía. Él siempre había sido poca cosa para sí mismo, un tema aburrido, un guión tedioso y mal escrito. No se consideraba importante, no creía en lo que hacía, su presencia lo fastidiaba y le disgustaba. Quería desaparecer, volverse invisible, ser una sombra que lo mantuviera al margen y lejos de comentarios ajenos. ¿Cómo imponer una vida en medio de un establecimiento agresivo y cruel, si uno no tiene la energía suficiente para hacerlo?

Lo peor es que esas palabras, por enésima vez, se las machaca en la cabeza mientras el bus se va acercando a la capital del Magdalena. Cuando llega a la Terminal de Transportes de Santa Marta tiene cuarenta grados de fiebre, le duele todo el cuerpo y escasamente puede caminar sin irse de bruces, como si estuviera borracho. Samuel va en un taxi hasta un hotel de la avenida de la Playa y consigue un médico a través de la guía telefónica.

**

Estuvo delirando durante más de ocho horas, bañado en sudor, aturdido y estremecido por corrientes eléctricas que lo hacían temblar y castañetear los dientes. De vez en cuando, al comprobar en el termómetro que la fiebre no había bajado, Samuel mojaba una toalla en alcohol y se la pasaba por todo el cuerpo. Finalmente, recetándole antibióticos y medicamentos, el médico logró controlar la situación. Quedó entonces postrado en la cama, sin aliento, convaleciente, como si acabara de llegar de una guerra cruenta en la que no hubiera probado alimento ni bebida. En sólo dos días perdió más de tres kilos de peso y las ojeras lo hacían ver en el espejo demacrado y con la piel apergaminada alrededor de los pómulos. La urna con las cenizas de don Ezequiel y de Eunice permaneció siempre a su lado, en la cama, y a veces, en mitad de los delirios de la fiebre, soñaba que la perdía y entonces extendía el brazo para constatar que seguía allí y que no les había fallado a sus viejos amigos.

Cuando ya tenía mejor semblante y pudo acercarse a la pequeña terraza de la habitación para mirar desde allí el mar pacífico y calmado de Santa Marta, se dijo en voz alta:

—Todo lo he hecho mal.

A lo lejos, como si se tratara de un dibujo infantil, un barco se desplazaba de izquierda a derecha por la línea del horizonte.

***

Su recuperación fue relativamente rápida. Dos cazuelas de mariscos y una bandeja con pargo rojo, arroz con coco y patacón fueron suficientes para devolverle las fuerzas y permitirle, por primera vez desde su llegada, asomarse a la playa y darse un par de chapuzones.

A eso se dedicó Samuel: a disfrutar del mar y de la playa, a nadar con lentitud y sin afanes, a quedarse botado en la arena con el sol caribeño sobre su cabeza. Por esos días solía tomar un microbús hasta el puerto de Taganga, donde los barquitos pintados de colores alegres y fosforescentes contrastaban con el agua verde y transparente de un mar cristalino que se extendía hasta el horizonte, y luego bordeaba el arrecife hasta descender a Playa Grande, donde se quedaba horas enteras nadando, tomando agua de panela fría con limón (había decidido no beber alcohol por un tiempo, hasta que desapareciera la dependencia física), comiendo patacones en los quioscos de los lugares y bronceándose sin hacer nada.

Unos días después decidió que estaba recuperado y listo para irse en busca del desierto de La Guajira.

***

El único libro que llevaba en su equipaje era el de Zalamea, *4 años a bordo de mí mismo*. De alguna manera lo sentía como si fuera una directriz, como si señalara el camino, como si las palabras dibujaran en la realidad un mapa que le impediría extraviarse a lo largo de un viaje cuyo capítulo final desconocía. Samuel tenía presente que en algún momento de la enfermedad, trastornado por la fiebre, lo había sacado de la mochila y lo había agarrado con fuerza, como quien aprieta un amuleto que debe protegerlo en medio de la adversidad. A la mañana siguiente se despertó con el libro abrazado y empapado en sudor. Las letras de ciertas páginas estaban descoloridas y tuvo que dejarlo cerca del balcón para que se secara bajo el sol.

Antes de subir al bus que lo conduciría a La Guajira, lo abrió en el capítulo quinto y leyó la siguiente página:

—¿Creías tú, muchacho, —comienza a decirme con su voz pesada y espesa como las tibias tinieblas— que yo era como los otros, que beben trago y besan a las mujeres? No, yo no bebo trago. No, yo no amo a las mujeres. Yo soy un hombre solo, un hombre que ama el mar. Y por eso no amo ni bebo. Para poder amar el agua y las olas, las tempestades y los palos de los buques; para poder sentir la blancura de una vela y el rumor de un viento, es necesario ser puro, con la boca recién nacida, con la boca sin besos, que la hacen amarga y dolorosa. Yo únicamente miro las mejillas y los ojos de las mujeres. Ellas son semejantes (las mujeres) en su dulzura pegajosa, al filo de las algas y a los bordes cortantes de los sargazos. Por eso te he traído a ver el mar. Cuando vengo a tierra no hago sino mirarlo, para conocerlo por el aspecto de los hombres terrestres. Para verlo distante y creer que me es imposible. Y el día que no pueda viajar, el día que no sirva para nada, el día que no lo vea, que no lo sienta, que no lo huela, que sus aguas no toquen mi cuerpo con su caricia única y diferente, me arrojaré a él, para que me guarde, para que me conserve entre sus sales, sus plantas y sus peces. Me arranco la vida, me la arranco, para dársela, como se arranca un estorbo inservible...

Yo no digo nada. Estoy roto, desarticulado por la emoción que estas palabras sinceras me comunican.

∗∗∗

En Maicao se sorprendió con la mezcla de colores vivaces que adornan los ropajes de las indígenas wayúus, de las koguis, de las arhuacas y de las arsarias. Tenía la impresión a veces de estar en un poblado africano. Sus sensaciones se intensificaron cuando de pronto, en el mercado, escuchó a los comerciantes hablar, discutir y bromear en lengua árabe. Sus ojos y sus cejas inconfundibles —recordó que en el Magreb es la única parte del rostro donde les da de lleno el sol— lo perseguían mientras deambulaba de aquí para allá sin decir nada. Le llegó a la memoria un artículo que había leído en la cárcel: la colonia musulmana es prácticamente la dueña del comercio y del contrabando en toda la región. Se instalaron en La Guajira, y en general por el Caribe colombiano, al ver un clima y una topografía muy similares a los de su tierra natal. En Maicao construyeron un colegio árabe para sus hijos, una mezquita donde se escucha al muecín llamando a los fieles a la oración y un centro cultural donde asisten a cursos y conferencias acerca de su religión y su cultura. Ver a esas muchachas bronceadas (hijas y nietas de familias extranjeras) caminar bajo el mediodía guajiro era conmovedor. Sus cabellos, de un negro azabache, se levantaban con la brisa y producían destellos que enceguecían; sus caderas se bamboleaban muy lentamente, como si la columna vertebral se torciera de izquierda a derecha y viceversa gracias a un dispositivo oculto para el espectador; sus pasos eran firmes pero rítmicos, decididos pero suaves; sus ojos oscuros lo miraban de reojo, al acecho, vigilándolo, y sus sonrisas insinuantes le prometían extraordinarios placeres de los que, estaba seguro, nunca iría a disfrutar. Maicao quedó en su memoria como un espacio soleado y desértico en el que su cuerpo se abrió a un deseo retorcido y sinuoso cuyas curvas estaban marcadas por la piel finísima de esas jóvenes que caminaban frente a él como indicándole un camino hacia el paraíso que le estaba negado y prohibido.

Se dijo en voz baja:

—¿De dónde diablos salieron estas mujeres? No sé si verlas es un placer o una tortura.

Abrazó la urna con fuerza. Arriba, como un fogón encendido a tope, estaba ese sol guajiro castigando sin piedad cada uno de los centímetros de su cuerpo.

***

María Ignacia, una india wayúu dueña de una camioneta destartalada y oxidada, lo llevó por caminos sin pavimentar hasta el pequeño caserío de Umarahu. Llenaba el tanque no en estaciones de gasolina, sino en ventas caseras que le hacían en vasijas plásticas al lado del camino. Era bajita, sonriente y los pies escasamente le llegaban a los pedales. El calor era permanente y en todas las rancherías que iban cruzando veían el mismo espectáculo: niños semidesnudos y sucios tirados en el piso, ancianos decrépitos y desdentados caminando por el desierto con sus faldas de colores resplandecientes y sus bolas de lana colgando a los lados, mujeres en cuclillas con pañoletas de distintos matices cubriéndoles las largas cabelleras, las promesas incumplidas de los líderes locales en pancartas y carteles pintados en las paredes de las chozas miserables, y en segundo plano, arena, arena y cactus resecos. El único comentario que hizo María Ignacia durante el trayecto fue:

—Es raro que alguien quiera ir a ese pueblucho miserable.

—¿Por qué? —preguntó él mirando por la ventana un paisaje que bien podría pertenecer a Egipto, a Túnez o a Sudán.

—La gente prefiere conocer las salinas de Manaure, el parque Macuira o el Cabo de la Vela. Lugares hermosos, únicos, que nos llenan de orgullo a todos los guajiros. Pero rancherías donde no llueve desde hace más de un año y donde no hay un sitio para dormir, eso no...

Ella cobró su plata y se regresó de inmediato a Maicao. Él se quedó tirado frente a una barraca en la que una india gorda y sonriente le señaló una hamaca multicolor y le dijo:

—Ahí puede dormir. Tiene que pagar por adelantado.

—¿Hay comida? —preguntó Samuel imaginándose pescados fritos del tamaño de un tiburón, pues no había probado ningún alimento desde las horas de la mañana.

—Tiene que darme un tiempito para prepararla.

—¿Pescado? —empezó a salivar.

—Carne, arroz y plátano frito —afirmó ella sin inmutarse.

—Sí, sí, perfecto —dijo él para no desilusionarla.

—¿Qué lleva ahí? —preguntó la mujer con desconfianza.

—Las cenizas de mis padres —respondió Samuel mirando la urna con cariño.

Pagó lo que le correspondía y se arrojó en la hamaca a descansar y a esperar el llamado para cenar. Puso la urna sobre su maleta, y mientras se mecía suavemente en el aire recalentado de Umarahu, pensó: «Ya pronto voy a dejar al viejo y a Eunice en libertad. Su materia saldrá a conquistar el mundo, se extenderá por la arena, viajará sobre las olas y olvidará tantos años de sufrimiento. Si de alguna manera pueden verme, ya saben que estoy en camino y que los dejaré allí donde el viento acaricia dos inmensidades complementarias: la del mar y la del desierto».

***

Sin hacer ruido y sin alardes, una parte de él se rebeló en contra de tanta amargura y tanto desencanto. Resucitó un día cualquiera para tropezarse con lo mejor que había en sí mismo. No estaba dispuesto a seguir repitiendo la historia del individuo solitario, apartado y resentido que se la pasa culpando a otros de lo que él mismo no fue capaz de llevar a cabo. No. Había llegado el momento de dar la cara, de enfrentarse a ese desagradable y pesado enemigo que era su negativismo exagerado y recalcitrante, y que ganara el mejor. Pero lo que no pensaba hacer era quedarse cruzado de brazos viendo cómo el otro lo vencía sin dar la pelea siquiera. No más cobardía. Sacó una hoja del bolsillo de su pantalón y la quemó. Era la carta de Constanza. La había cargado durante años y, por motivos que él mismo no comprendía, no había podido deshacerse de ella. No más, se dijo, estaba aburrido de andar castigándose. Ya había pagado por lo que había hecho. Ya no era el prisionero 212, era un hombre libre que pensaba defender los años de vida que aún le quedaban.

***

La Guajira le pareció una de las zonas más bellas que había visto. Por un lado estaba el mar, con sus olas verdes que llegaban a la playa rítmicamente, y por otro estaba el desierto, símbolo de libertad y de una vida errática e incierta. Y en ese viaje solitario a donde nadie más podía acompañarlo, ahí, en medio de los dos, estaba él intentando ascender de los infiernos. Un alma buscando redimirse entre el agua y la arena, un pasado negro y siniestro rastreando una voz de esperanza que le devolviera su antiguo y perdido vitalismo.

***

Le explicó a Belkys, la india que le alquilaba la hamaca y que le daba de comer, que deseaba recorrer el camino que iba hasta Bahía Portete. Ella pegó un grito que él no entendió y al minuto un muchacho de nueve o diez años se hizo presente en el lugar. Llevaba un pantalón roto y una camiseta deshilachada, y los pies descalzos lo hacían ver como una especie de pilluelo juguetón y travieso.

—Muéstrale al señor el camino al mar —ordenó Belkys muy seria, como si estuviera amenazándolo.

—Sí señora.

—Con que me acompañe un par de kilómetros está bien. Puedo seguir solo —aclaró Samuel con una sonrisa fingida.

Este Huckleberry Finn se llamaba Manuelito López y era un enano extrovertido, cantante de vallenatos y dicharachero. Lo hizo reír con sus apuntes llenos de humor y vivacidad. Con el mayor desparpajo le dijo:

—¿Tú no llevas hembra?

—No —le contestó Samuel, que iba a su lado.

—¿Y eres maricón?

No pudo evitarlo y estalló en una carcajada que le hizo olvidar los nervios y la preocupación que intentaba ocultar. Cuando Manuelito le señaló Las Tres Hermanas, Samuel le dio unos pesos y le explicó que ya podía seguir solo, que el camino era fácil, que se regresara tranquilo. El niño salió disparado con el billete apretujado en una de sus manos.

—Llegó el momento —se dijo Samuel dirigiéndose al cactus central.

Extrajo de la urna las dos bolsas con las cenizas del viejo y de Eunice. A través del plástico se podían ver unos huesos diminutos calcinados. Detalló primero el cielo transparente de La Guajira, sin una sola nube, azul, puro, después contempló el mar con un oleaje tranquilo y una espuma brillante en la playa, y por último se dio la vuelta y posó sus ojos en el desierto, en esa inmensidad de arena que se perdía hasta la línea del horizonte. ¿No eran acaso el desierto y el mar espacios donde los hombres eran puestos a prueba lejos de los otros hombres? ¿No había estado Jesús siempre ligado al mar y al desierto? ¿No eran varios de sus discípulos pescadores? ¿No lo había tentado el Demonio en medio del desierto, cuando ya estaba débil, sediento y hambriento? ¿No eran desde siempre espacios de iniciación donde los hombres eran introducidos a otras realidades, a otras dimensiones del pensamiento? Jonás y la ballena, Noé y su arca, Ulises y su tripulación itacense aguantando la furia de los dioses, Moisés atravesando el desierto para llegar a la tierra prometida... Sintió escalofríos. Ráfagas de brisa le acariciaban la piel. Rompió las bolsas y gritó emocionado:

—Adiós, viejo. Adiós, Eunice. Gracias por todo. Los amo con todo mi corazón. Por fin todos somos libres.

Giró y giró mientras tiraba las cenizas al viento. Era una danza alocada, desenfrenada, improvisada, con los brazos abiertos de par en par, gritando como si un espíritu travieso se hubiera apoderado de todo su ser. Las bolsas quedaron vacías y Samuel, ahogado, paró y se quedó mirando el mar mientras tomaba bocanadas de aire. Una bandada de pájaros migratorios surcó el firmamento. Entonces le llegaron a la cabeza viejos textos budistas que hablaban de llegar a la vida por segunda vez, de parirse psíquicamente, de alcanzar el mundo en un nuevo nacimiento. La mente podía estar en pasado o en futuro, pero el cuerpo siempre estaba en presente. Aquí y ahora. Había que escuchar los mensajes del cuerpo, seguir sus instrucciones, atender los llamados de la materia. Era preciso despertar de ese largo sueño que era la identidad, el yo. Soltar los apegos, quedarse vacío para que el mundo nos sorprendiera en toda su intensidad. Su sufrimiento y su culpa habían sido un exceso de ego, una exageración de la importancia personal. Tenía que abandonarse para renacer. Sólo existía ese instante y ese lugar. Lo importante era soltar el dolor, dejarlo ir, no considerarlo parte constitutiva de su ser, sino un mero accidente, un estado de ánimo por el que pasamos todos tarde o temprano. Quizás estaba enamorado de su sufrimiento, agarrado a él como si esa actitud le diera un brillo que los demás no tenían, una prestancia única. Alguien que sufre demasiado termina por creerse muy importante. Era una idiotez, ahora lo veía claro.

Y las voces de esos jueces internos que no lo habían dejado en paz durante años dieron un nuevo veredicto (¡inocente!) y se apagaron definitivamente en los laberintos de su cerebro.

Y sin saber por qué, estremecido, lúcido, recordó en ese preciso instante los días infantiles compartidos con Horacio en el colegio, su vieja edición de las aventuras de Ulises, el asesinato de sus padres, sus años de exilio en el extranjero, su entrada en el movimiento universitario, su relación con Constanza, los crímenes que había cometido, su visita a Araceli Rodríguez, su extraño desdoblamiento en Efraín Espitia y su amor por Rosario, el tiempo que había pasado en la cárcel pagando una condena aparente y otra más profunda, y entonces, mirando hacia arriba y con los brazos otra vez abiertos en cruz, consciente del milagro que significaba percibir la grandeza del mundo a través de sus sentidos (el olor a brisa marina y a boñiga fresca, la temperatura de la tierra caliente en sus mejillas y sus brazos sudorosos, el sabor del suero costeño, de la arepa de huevo, de la piña, del maracuyá, del lulo y de la guayaba agria todavía en su lengua y su paladar, el ritmo del acordeón, de la caja, de la guacharaca y de las voces de los juglares vallenatos retumbándole aún en los oídos, el esplendor de ese cielo abierto y magnífico inundándole la mirada), ahogado, con un nudo en la garganta y el corazón retumbándole en la cabeza, lleno de vida, se vio a sí mismo como un vagabundo solitario que iba en busca de algo que lo hiciera trascender, algo que le indicara una existencia más allá de las acciones banales de una cotidianidad insulsa, algo que le permitiera entender la fragilidad de la vida, y en un estado de trance, ido, como si estuviera poseído por fuerzas superiores, murmuró en voz alta y con los ojos llenos de lágrimas:

—Tengo tiempo, aún estoy aquí.

Y su columna vertebral se estremeció en una corriente de júbilo y se dijo que todo en la vida estaba bien y era bienvenido, la amargura, el deterioro físico y la muerte, el sexo y la amistad, la desdicha y el desamor, las frases con las que le decimos adiós a alguien que hemos amado con locura, el olvido, el sol, las olas chocando contra nuestros cuerpos, la risa y el llanto, las palabras murmuradas entre las sábanas, las caminatas solitarias a altas horas de la noche por ciudades frías y fantasmales, la traición de quienes creíamos que jamás nos harían daño, los bajos sentimientos de aquellos que nos acompañaron buena parte del camino, las manifestaciones de amor y de pasión, los insultos y los elogios, la ira y la frustración, el deseo, la carne, el instinto, los vicios, la ternura, la caridad, los ojos de quienes nos han amado y los de quienes nos han detestado, la música, el aire, la envidia de aquellos que han querido destruirnos, la maledicencia de quienes sólo buscaron nuestra ruina, las noches de insomnio que parecen interminables y las noches de lujuria que parecen breves instantes de placer perdidos en la oscuridad de nuestras habitaciones o de habitaciones ajenas, las preguntas de quienes no entendieron por qué nos alejábamos de ellos, los regalos olvidados en rincones polvorientos, las cartas de nostalgia que nos escribieron quienes nos extrañaban y las cartas insultantes de quienes terminaron odiándonos con furor, la desesperación, la angustia, la impotencia, la infinita tristeza, el abandono, la crueldad, la mentira, la ignominia, las heridas que nos infligieron cuando éramos niños y no podíamos defendernos, las despedidas definitivas en cuartos habitados por enfermedades terminales, esos abrazos que les dimos a aquellos que estaban prontos a morir y que sabíamos que jamás volveríamos a ver (con cuánta dulzura dimos esos abrazos), el mareo y la depresión que parecen insoportables cuando acompañamos a esos seres queridos a la tumba, su recuerdo que nos persigue permanentemente y en cualquier lugar, las pésimas decisiones que vimos tomar a nuestros amigos en medio de crisis que también nos dolían a nosotros, la infinidad de veces que fuimos insultados, mancillados, vilipendiados, incomprendidos, calumniados, todo, todo, todo, todo era bienvenido, por la sencilla razón de que ese todo nos había sido dado para transmutarlo, para modificarlo en una sorpresa mayúscula, en una exaltación suprema que sólo hasta ahora Samuel entendía: la conciencia de estar vivo, la inmensa dicha de existir, de ser una brizna de materia revoloteando por el universo antes de perderse en los desconocidos laberintos de la eternidad.

Bogotá, 2004

ÍNDICE